PocheCouleur
1

Directeur artistique et technique : A.-Chaouki Rafif ;
Recherches iconographiques : Lynne Thornton et ACR ;
Traduction : Jean de La Hogue ;
Secrétariat de rédaction : Marie-Pierre Kerbrat.

N⁰ d'éditeur : 1061

Dépôt légal : octobre 1993

Tous droits réservés pour tous pays

Photogravure et montage par Chromostyle à Tours

Imprimé en France par MAME IMPRIMEURS à Tours

LES ORIENTALISTES

Peintres voyageurs

Lynne Thornton

ACR Edition

PocheCouleur

INTRODUCTION

Qu'est-ce que l'Orientalisme ?

*L'*appellation Orientaliste – personne versée dans la science des peuples orientaux, leurs langues, leur histoire, leurs coutumes, leurs religions et leurs littératures – s'applique aussi aux peintres occidentaux du monde oriental. Pour ces artistes, – dont le nombre augmenta beaucoup à partir du dix-neuvième siècle – l'Orient signifia d'abord le Levant, puis engloba l'Égypte, la Syrie, le Liban, la Palestine et la zone côtière de l'Afrique du Nord. L'Espagne, avec son passé arabe, et Venise, par ses relations historiques avec Constantinople, étaient souvent considérées comme les portes de l'Orient. Seuls quelques artistes-voyageurs particulièrement aventureux allaient en Arabie, en Perse ou en Inde ; quant aux pays de l'Extrême-Orient, ils furent virtuellement fermés aux Occidentaux jusqu'à la fin du dix-neuvième siècle.

L'Orientalisme ne fut pas une école, car le lien entre les œuvres se trouvait dans l'iconographie plutôt que dans le style. La technique et le traitement de la lumière et de la couleur évoluaient à chaque décennie, en fonction de l'expérience du peintre lui-même et de ses découvertes artistiques – ou de celles de ses contemporains comme on le voit clairement dans les œuvres reproduites ici. Il y a un siècle – et tout un monde de découverte et de meilleure compréhension de l'Orient – entre les sombres empâtements d'Alexandre-Gabriel Decamps et les délicats lavis d'aquarelle d'Augustus Osborne Lamplough. Mais comme beaucoup d'Orientalistes travaillèrent dans le style académique de leur époque – règne du « bien-dessiné » et du « bien-peint » – ils furent rayés des contrôles de l'histoire quand l'académisme cessa d'être à la mode, supplanté par des « ismes » d'avant-garde. Ce n'est pas l'Orient qui cessa d'être en faveur, mais l'ancienne façon de le peindre. Ce n'est guère qu'au cours des deux dernières décennies environ que l'Orientalisme – autrefois universellement connu – commença à resurgir dans la conscience des historiens et professionnels de l'art et du public. Des tableaux firent leur réapparition dans les salles de vente et les galeries, sortirent des réserves des musées, et des expositions furent à nouveau organisées. Tant en raison d'une remise en honneur générale du siècle écoulé – le ridicule devient à nouveau le sublime – qu'en raison d'un renouveau d'estime pour la technique, l'Orientalisme est rentré en faveur. Et ceci n'est certainement pas une mode passagère, éphémère, mais un retour naturel, dans le cycle toujours recommencé du goût, à une juste appréciation de peintures qui sont de merveilleuses invitations, par ce qu'elles montrent et par ce qu'elles suggèrent, à voyager dans d'autres pays et d'autres temps. Colorées, inondées de soleil, étranges, cruelles, tendres ou documentaires, elles nous charment et nous fascinent comme elles l'ont fait des générations précédentes. Chacune a son histoire à raconter, de voyage et d'aventure, de visions et de coutumes disparues à jamais, de la graduelle levée du voile de mythe et de mystère qui recouvrait l'Orient, et des grisantes découvertes de l'exotisme par des Occidentaux habitués à la grisaille des villes industrialisées du Nord.

Les origines de l'Orientalisme

*I*l y a eu, évidemment, de nombreux points de rencontre entre l'Orient et l'Occident avant le dix-neuvième siècle, un long courant de relations commerciales, diplomatiques et artistiques : les Croisades, les liens étroits entre Venise et la Turquie, l'établissement des Anglais en Inde, la fréquentation des Échelles du Levant par la France. Mais, à l'exception des artistes européens installés à Constantinople (objet de l'ouvrage de A. Boppe, *Les Peintres du Bosphore au dix-huitième siècle*, Paris 1911, réédité par A.C.R. en 1989), l'Orientalisme était resté presque exclusivement décoratif. Chinoiseries, japonaiseries, turqueries et un vaste salmigondis de styles « orientaux » influençaient le costume, l'architecture et les œuvres d'art. Le livre de contes *Les Mille et Une Nuits* contribuait à répandre la vogue de l'exotisme, mais sans

*« Shahrazade »,
signé et daté '11.
L'Illustration,
numéro spécial de
Noël 1911.*

aucune prétention à l'exactitude. La passion pour l'Égyptologie à la fin du dix-huitième siècle, la création d'écoles d'études orientales et, plus importante encore, l'expédition de Bonaparte en Égypte en 1798, portèrent l'Orient à l'attention du public. La description de l'Égypte ancienne et moderne dans les ouvrages illustrés du baron Dominique Vivant Denon, ainsi que les tableaux historiques dans des décors orientaux que firent sur l'expédition le baron Gros, Anne-Louis Girodet-Trioson et d'autres artistes, jetèrent les fondations du mouvement orientaliste. La lutte de la Grèce pour se libérer du joug turc, l'adoption de cette cause par les Romantiques, la prise d'Alger par les Français en 1830 et le trop fameux voyage de Delacroix au Maroc en 1832, tout contribuait à ouvrir toutes grandes les portes aux centaines d'artistes désireux de découvrir l'Orient. Les voyageurs, tout comme les casaniers, utilisaient souvent sans hésitation des sources littéraires pour leur inspiration, en général œuvres de fiction, tels les poèmes turcs de Lord Byron, le roman indien de Thomas Moore *Lala Rookh*, le *Salammbô* de Gustave Flaubert, *Le Roman de la Momie* de Théophile Gautier et *Les Orientales* de Victor Hugo. Il y avait aussi les récits que faisaient de leurs voyages écrivains et poètes influents, comme François-René de Chateaubriand, Alexandre Dumas père, Gérard de Nerval, Alphonse de Lamartine et Théophile Gautier.

Pourquoi les Orientalistes voyageaient-ils ?

*A*vec le développement des liaisons maritimes à vapeur et des réseaux ferrés, des peintres toujours plus nombreux se mêlèrent au flot des gens qui furetaient, exploraient, étudiaient ou simplement se promenaient à travers l'Orient. Ces artistes étaient surtout français et anglais ; pour les autres pays d'Europe, sans grands empires, l'Orient était plus à l'écart. Les artistes français étaient bien souvent attachés à des missions militaires, scientifiques ou diplomatiques envoyées dans les pays du pourtour méditerranéen et en Perse (la pensée permanente de la France étant de contrecarrer la liberté de la route des Indes et le développement des intérêts anglais en Afghanistan). Les Anglais, eux, concentraient leur attention surtout sur l'Égypte (point capital de la voie de terre avec leurs possessions de l'Inde) et sur la Palestine. Toutefois, les artistes anglais, plus que ceux d'autres nationalités, s'aventurèrent plus volontiers seuls dans des régions perdues et désolées. Si les relations entre la Bible et l'Orient étaient une évidence pour des artistes victoriens comme David Wilkie, Holman Hunt, Frederick Goodall, elles l'étaient aussi pour les Français James

Tissot et Horace Vernet. Ils voyageaient surtout à la recherche de décors authentiques pour leurs sujets bibliques, convaincus que gestes et attitudes, chez les gens qu'ils voyaient, étaient survivance des temps anciens. Le renouveau religieux dans l'Angleterre victorienne contribuait aussi au succès des scènes bibliques dans des décors pharaoniques, et Edward Poynter, Sir Lawrence Alma-Tadema et Edwin Long peignaient des compositions historiques fouillées, parfaitement comparables aux premières réalisations d'Hollywood.

Peu à peu, le prestige des artistes qui avaient persisté à voir l'Orient sous divers aspects factices diminua, quand l'Europe prit enfin conscience de l'intérêt et de l'importance de la culture et de l'architecture de l'Islam. Cette disparition, chez les Européens, de ce sentiment béat de leur supériorité, est pour une bonne part due à la finesse et à la perspicacité de quelques voyageurs, comme l'égyptologue anglais Edward Lane et le peintre John Frederick Lewis, qui se plongèrent pendant des années dans la vie cairote. Il est d'ailleurs probable que beaucoup de scènes d'intérieur de harems furent tirées des descriptions figurant dans l'ouvrage capital détaillé de Lane, *Manners and Customs of Modern Egyptians* (Londres, 1836). Il était pratiquement impossible à un étranger d'entrer dans la partie harem d'une maison musulmane (encore qu'il semble qu'il y ait eu quelques exceptions). Mais Lane avait pour collaboratrice sa sœur, Sophia Poole qui eut, dit-elle, la possibilité de « voir beaucoup de choses accessibles seulement à une dame ». Quand l'Orientalisme devint à la mode, le virus s'empara même d'artistes qui n'étaient jamais allés en Orient. Le plus célèbre d'entre eux est le classique Jean-Auguste-Dominique Ingres. Dès 1814, il avait peint *La Grande Odalisque* (musée du Louvre, Paris) ; en 1839, il fit son fameux *Odalisque et Esclave* (Fogg Museum of Art, Cambridge, Massachusetts) et en 1862 *Le Bain Turc* (musée du Louvre, Paris).

La Guerre de Crimée en 1854-55 et l'ouverture du canal de Suez en 1869 mirent à nouveau le Proche-Orient en tête de l'actualité. Des artistes furent envoyés pour croquer les événements, et surtout il y en eut de plus en plus pour s'intéresser à la vie quotidienne en Orient. Mais tandis que grossissaient les hordes des touristes de Thomas Cook, mitraillant de leurs Kodak, que les manières et les costumes de l'Europe pénétraient les milieux gouvernementaux du Caire, qu'en Turquie les dames de qualité abandonnaient leur vêtement traditionnel pour des crinolines de chez Worth, les artistes, eux, fuyaient soigneusement toute velléité d'européanisation. La plupart d'entre eux peignaient les aspects les plus rutilants, gardes nubiens au port noble, chasses au faucon et chevaux de race dans de vastes espaces, femmes luxueusement vêtues allongées dans leurs demeures, marchés grouillant de gens affairés et heureux. Mais quelques autres commençaient à s'intéresser aux aspects plus sévères, tribus misérables du Sud algérien, mendiants aveugles, murs croulants dans des rues tortueuses.

Expansion de l'Orientalisme

*V*ers 1870, Anglais et Français n'eurent plus la quasi-exclusivité de la peinture orientaliste. Après la guerre contre la Prusse, Paris reçut un afflux d'artistes européens et américains. Un bon nombre étaient déjà actifs dans leur pays ; d'autres s'inscrivirent à l'Académie Julian et à l'École des Beaux-Arts de Paris, en particulier chez Jean-Léon Gérôme, lui-même grand voyageur. Ils étaient attirés par Paris plus que par l'école de la Royal Academy de Londres, d'une part parce qu'elle n'avait pas une organisation d'ateliers dirigés par un maître renommé comme en France, mais aussi parce qu'il n'y avait ni système de récompenses, ni perspective de débouchés officiels même pour l'élève le plus doué. De fait, les peintres anglais ne furent jamais aussi connus que leurs émules du continent, bien qu'ils aient participé aux Expositions Universelles de Paris en 1855, 1867, 1878, 1889 et 1900. Ceci est peut-être dû à un sentiment d'insularité naturel, ou au fait qu'ils trouvaient la maîtrise technique des Français admirable, mais dépourvue de chaleur. Tous les Orientalistes n'étaient pas basés à Londres ou Paris. L'Autrichien Leopold Carl Müller encourageait ses compatriotes à aller peindre en Égypte, et l'Espagnol Mariano Fortuny y Marsal fut le promoteur en Italie d'un tout nouvel intérêt pour l'Orient. Des artistes suisses, allemands, belges et scandinaves commençaient à voyager et exposaient leurs œuvres chez eux. En Turquie, Osman Hamdy Bey créait une école des Beaux-Arts à Constantinople et lançait les éphémères Salons de Stamboul. C'était la première fois que des Orientaux peignaient à l'huile, selon la tradition occidentale, mis à part les artistes persans de l'époque Qadjar, et bien que la figure humaine existât déjà dans les célèbres miniatures turques, persanes et indiennes.

Les conditions du voyage

*P*our de nombreux peintres, particulièrement chez les premiers visiteurs, comme Alexandre-Gabriel Decamps, Eugène Delacroix et Théodore Chassériau, un voyage leur suffit, et jusqu'à la fin de leur vie les souvenirs vivaces de ce contact avec l'Orient alimentèrent leurs œuvres. Mais pour la plupart, les peintres furent pris par le démon du voyage. Il y avait évidemment un certain facteur « chasse » aux sujets exotiques pour leur art – et leur public –, comme ils auraient couru après des papillons aux riches couleurs. Mais très souvent aussi c'était un réel goût des sensations nouvelles et de l'aventure qui les ramenait et ramenait encore. En Égypte, le voyage était relativement organisé et facile (on trouvait même au Caire des ateliers où travailler) ; il en était de même à Alexandrie, Constantinople et Alger, où les Européens étaient confortablement installés. Mais sitôt livrés à eux-mêmes, il leur fallait vraiment être habillés à l'orientale et, bien que ce fût pour leur sécurité, cela ajoutait sûrement au piquant du voyage. David Roberts, qui traversa le désert du Sinaï avec vingt et un

chameaux et autant de serviteurs, écrivait qu'il était tellement métamorphosé que sa chère vieille mère ne pourrait le reconnaître. Vers 1870, les guides pour touristes déconseillaient le port du vêtement oriental, à moins que l'on ne parlât l'arabe, sous peine de paraître ridicule. Mais il devait être éprouvant de peindre, par une chaleur torride, portant col dur et cravate, comme le montre une photographie de Leopold Carl Müller, prise lors d'un de ses voyages au Caire. De bizarres coiffures, vrais parasols, furent imaginées ; l'excentrique Edward Lear arborait « un chapeau de paille à bord grand comme une roue de charrette avec une housse de calicot blanc ». Si bon nombre de peintres séjournèrent en Orient pendant des années, ou y retournèrent plusieurs fois, d'autres « faisaient » les pays à une

Edmund Berninger :
Caravane, huile sur
toile, signée,
89 × 150 cm. Anc.
Mathaf Gallery,
Londres.

allure invraisemblable. Richard Dadd et son mécène Sir Thomas Phillips firent un voyage éclair par l'Asie Mineure à Beyrouth et Jérusalem, d'où ils repartirent le lendemain de leur arrivée pour le Jourdain et la Mer Morte. Les étapes étaient longues, l'allure impitoyable, et les conditions épuisantes. Dadd, nous raconte Patricia Allderidge, déplorait particulièrement que leur façon de voyager laissât peu de possibilités de prendre des croquis, car la lumière avait pratiquement toujours disparu quand ils s'arrêtaient, et parce qu'« il est diablement difficile de dessiner à cheval ! »

Il est bien sûr facile de rire de ces Européens se pressant autour des « motifs » intéressants, plastronnant sur leurs chameaux, encombrés d'un attirail de photographe et de peintre, de mallettes d'argenterie, et de parasols ; Arthur Melville avait même son plaid écossais et sa Bible. Pudding flambé et vin chaud à Noël, turbans se déroulant autour de leurs visages cuits, luttes sans succès avec les montures rétives aux bosses inconfortables... ridicule, peut-être. Mais lisez donc les merveilleux journaux de voyage de Berchère, Flandin, Roberts, Lear. Leur compréhension, leur admiration de la beauté des sites qu'ils voyaient ne sont pas feintes, et leur courage en face de l'adversité, du danger et des fréquentes maladies est admirable.

Le travail en atelier au retour

*P*eindre sur place n'était en général pas sans difficultés. L'hostilité bien compréhensible des populations locales envers des artistes européens, surtout dans les lieux sacrés ou écartés, les attaques de brigands, la chaleur qui faisait couler les couleurs à l'huile, les essaims de mouches, les foules curieuses qui vous bousculaient dans les rues animées, tout cela était très éprouvant. Les voyageurs faisaient donc la plupart du temps de rapides esquisses au crayon, à l'encre ou à l'aquarelle, enlevées et dégagées de tout souci de composition, qui sont souvent remarquables. L'aquarelle, magnifiquement utilisée par Delacroix, Roberts et Lear pour leurs études, fut un succédané de l'huile pour de nombreux Orientalistes, tels John Frederick Lewis, Carl Haag, Charles Robertson, Mariano Fortuny y Marsal et les Italiens. Toutefois, elle n'était pas toujours jugée digne d'œuvres abouties. Art spécifiquement anglais (la Watercolour Society fut fondée en 1804), l'aquarelle était considérée en France, au début du dix-neuvième siècle, comme une technique mineure convenant à la rigueur comme passe-temps pour les dames et les jeunes filles de la bonne société.

Néanmoins, quand le blocus fut levé après les guerres de l'Empire, permettant aux artistes de circuler librement entre la France et l'Angleterre, elle fut adoptée par de nombreux artistes sur le continent. On considère en général que l'introduction de la photographie joua un mauvais tour aux artistes académiques, car elle était si voisine de leur conception réaliste qu'elle leur enlevait toute raison d'être. En fait, les académiques – et avec eux beaucoup d'Orientalistes – furent extrêmement intéressés par la nouvelle invention et utilisèrent fréquemment la photographie comme aide-mémoire. Dès 1839, Horace Vernet et Frédéric Goupil-Fresquet prenaient des daguerréotypes en Égypte et à Jérusalem, et plus tard de nombreux artistes firent leurs photographies eux-mêmes, ou se

faisaient accompagner par un opérateur. On trouvait aussi sur place des tirages de paysages, d'architecture et de types locaux, dont les plus connus et parmi les plus originaux étaient de Félix Bonfils, spécialisé dans le Proche-Orient.

Ces artistes qui revenaient en Europe pour travailler à leurs œuvres abouties, plutôt que de les réaliser dans un atelier sur place, faisaient grand usage d'accessoires d'origine, objets d'art musulman et costumes orientaux. Jules-Robert Auguste en avait rassemblé une importante collection dès 1824, et Théodore Chassériau avait complètement transformé son

*A.E. Duranton :
Chez la famille
Goupil, huile sur
toile, signée,
64 × 91 cm.
Collection
particulière.*

intérieur en ces « fêtes de couleur » décrites par Théophile Gautier : « Les yatagans, les kandjars, les poignards persans, les pistolets circassiens, les fusils arabes, les vieilles lames de Damas niellées de versets du Coran, les armes à feu enjolivées d'argent et de corail, tout ce charmant luxe barbare se groupait encore en trophées le long des murs; négligemment accrochés, les gandouras, les haïks, les burnous, les caftans, les vestes brodées d'argent et d'or... »

Vers la fin du siècle, les artistes arrivés et riches qui, à Paris, vivaient pour la plupart dans le nouveau quartier autour du Parc Monceau, recréaient d'étonnants mondes de faux-semblants. Les peintres militaires s'entouraient d'armes, d'armures et de chevaux empaillés, les peintres historiques de buffets Henri IV, de velours frappés, de chapeaux à plumes de mousquetaires, les Orientalistes de tapis, de tissus et d'objets d'art. Mais comme ils ne connaissaient pas toujours la date ou l'origine de leurs trouvailles, il en résultait parfois des anachronismes. Jean-Léon Gérôme lui-même, méticuleusement précis pourtant, pouvait mettre dans le même tableau un casque et un fusil d'époques et de pays différents. Assez curieusement, ce goût des décors extravagants n'était pas, de loin, aussi répandu en Angleterre. Néanmoins, quand John Frederick Lewis rentra d'Égypte en 1851, il rapporta des costumes, des burnous, des instruments de musique et des armes. Carl Haag décora son intérieur à Hampstead dans le style oriental ; quant à Frederick, Lord Leighton, un membre de la Royal Academy qui fit trois voyages en Orient, il était si enthousiaste du monde arabe qu'il transforma sa maison dans Kensington (devenue musée) pour y incorporer un hall arabe. Il se constitua aussi, avec l'aide de l'explorateur Richard Burton, une collection de céramiques et de tissus des pays d'Islam. Frederick Goodall alla même jusqu'à ramener quelques moutons et chèvres indigènes pour garantir l'authenticité de la vie rurale dans ses scènes bibliques ! Les États-Unis aussi connurent la vogue des décors orientaux, due en partie au succès des œuvres orientalistes des Américains Edwin Lord Weeks et Frederick Arthur Bridgman, ainsi qu'à la popularité de Gérôme chez les collectionneurs américains.

Expositions, collectionneurs et musées

*L*es artistes trouvaient à vendre leurs œuvres sur place ; Prosper Marilhat eut des commandes à Alexandrie, et Jules Laurens était harcelé à Téhéran par des notables qui voulaient leur portrait. Les peintures se vendaient facilement, aussi, parmi les Anglais qui hivernaient en Égypte. Mais c'était surtout par la Royal Academy à Londres et le Salon de Paris que les artistes trouvaient des acheteurs, en particulier pendant les trois premiers quarts du siècle, alors que ces institutions dominaient le monde de l'art. Le goût pour l'art et le mécénat avaient été, au dix-huitième siècle, l'apanage de la Cour et de l'aristocratie. Avec le dix-neuvième, la révolution industrielle avait engendré une nouvelle classe de bourgeois très riches qui ne passaient plus commande aux artistes, mais leur achetaient leurs œuvres terminées. S'il est exact qu'Alexandre-Gabriel Decamps, Horace Vernet et Prosper Marilhat furent particulièrement appréciés par le marquis de Hertford et le duc d'Aumale, des œuvres de la plupart des Orientalistes furent achetées par des industriels, des armateurs et des financiers, surtout des Midlands anglaises et d'Amérique du Nord. A la

différence des aristocrates mécènes du siècle écoulé, dont le goût avait été formé par les maîtres anciens décorant les demeures ancestrales ou vus en Italie pendant leur tour d'Europe, ces nouveaux acheteurs, souvent d'humble origine, préféraient acheter de la peinture moderne. En outre, l'Orientalisme, avec ses scènes fastueuses, exotiques, cruelles et sensuelles, leur offrait de troublantes évasions de cette société à principes rigides où le travail et le devoir étaient des vertus appréciées. Il était, au demeurant, plus rassurant de choisir des peintures qui avaient eu la bénédiction des jurés de réception de la Royal Academy et du Salon. Souvent une toile

Jean-Léon Gérôme : La Prière (au Caire), huile sur panneau, signée, 49,9 × 81,2 cm. Kunsthalle, Hambourg. Exposé au Salon de 1865.

exposée était tellement demandée que l'artiste était obligé d'en faire des répliques pour les candidats acheteurs déçus.

D'ailleurs, les tableaux n'étaient pas toujours achetés par les amateurs eux-mêmes : souvent l'avis d'Ernest Gambart, à Londres, et d'Adolphe Goupil, à Paris, était déterminant. Ces marchands prestigieux proposaient aussi des gravures reproduisant des tableaux qui étaient passés par leurs mains, faisant ainsi connaître leurs auteurs chez des gens qui ne pouvaient se permettre de posséder un original. Beaucoup d'œuvres aboutirent en définitive dans des musées anglais et américains. Un cas typique est celui de la collection, remarquable et éclectique, rassemblée par les hommes d'affaires William T. Walters et son fils Henry, et devenue la Walters Art Gallery de Baltimore (Maryland), dont les tableaux du dix-neuvième siècle ont été recensés en un catalogue dû à William R. Johnston, Associate Director du musée.

En France, le système des prix, au sommet duquel le Prix de Rome si convoité, aboutissait en général à des commandes de l'État, ou, pendant les monarchies, de la Cour. Delacroix, par exemple, bien que l'un des grands novateurs de cette période, eut à la fois les suffrages officiels et académiques. Certains Orientalistes, toutefois, partis pour leurs voyages très jeunes, se firent un nom sans avoir eu à parcourir la voie classique du succès. Comme les artistes pouvaient parfois demander des sommes énormes pour leurs œuvres, l'État français ne pouvait pas toujours les acquérir, ce qui explique en partie la pauvreté en tableaux orientalistes importants des musées de province aujourd'hui. Le musée du Louvre reçut cependant de nombreuses donations, et le musée du Luxembourg possédait des pièces intéressantes. Le fonds de ce musée parisien des artistes vivants, dispersé en 1939 dans d'autres musées, des ministères et des organismes officiels, est désormais regroupé en sa quasi-totalité au musée d'Orsay à Paris. Vers les années 1880, les Orientalistes envoyaient leurs œuvres dans des expositions organisées par des villes d'Europe et d'Amérique, et plus seulement à Londres et Paris. Tant la Royal Academy que le Salon, qui était alors connu sous le nom de Salon de la Société des Artistes Français, étaient devenus des monstruosités invraisemblables. A Londres, quelque cinq mille artistes présentaient à la sélection jusqu'à douze mille œuvres, et en France, de l'ordre de cinq mille peintures, dessins et sculptures étaient exposés chaque année. Il y eut, tout de même, pendant quelque temps, d'autres endroits où exposer à Londres : la New Watercolour Society, la Grosvenor Gallery, la Society of British Artists et la British Institution. A Paris, un salon dissident fut créé en 1890, le Salon de la Société

Nationale des Beaux-Arts, rejoint par nombre des anciens Orientalistes ainsi que par la génération montante.

Renouveau de l'Orientalisme

*T*out au long du siècle, l'Orientalisme avait été tour à tour acclamé ou hué par la critique et le public, chaque génération remplaçant des thèmes éculés par de nouveaux sujets et de nouvelles techniques. Au tournant du siècle, il semble avoir atteint sa fin comme mouvement artistique important, sauf en Belgique (qui avait le Congo) et en France, avec ses vastes possessions d'Outre-Mer. Sarah Searight, dans son livre passionnant et bien documenté *The British in the Middle East*, suggère d'ailleurs que l'attachement romantique des Britanniques pour le Moyen-Orient n'a pas survécu à leur prise

Rudolf Ernst : Le Dignitaire, huile sur panneau, signée, 72 × 92 cm. Anc. Collection Alain Lesieutre, Paris.

de responsabilités politiques dans la région. L'Orientalisme français (et nous y comprenons les étrangers vivant en France) partit pour un nouveau bail avec la création de la Société des Peintres Orientalistes Français en 1893. Présidée par Léonce Bénédite, conservateur en chef du musée du Luxembourg, son but était de « faire mieux connaître ces pays et ces races d'Orient et d'Extrême-Orient ». Elle s'attachait aussi « à diriger dans un sens critique l'étude des arts anciens de ces civilisations et à contribuer au relèvement de leurs industries locales ». La société, qui organisa des expositions rétrospectives des premiers Orientalistes, compta parmi ses membres Émile Bernard, Charles Cottet, Étienne Dinet, Paul Leroy et les Impressionnistes Albert Lebourg et Auguste

Renoir, qui tous deux avaient séjourné à Alger. Il est significatif que son exposition inaugurale ait eu lieu dans le cadre de l'une des premières expositions d'art musulman, tenue au Grand Palais en 1893. Bien que l'art islamique ait influencé la céramique et le verre en Europe vers les années 70, la préférence des amateurs allait aux arts japonais et chinois. Mais, à partir de 1890, l'art islamique commença à être sérieusement étudié par un cercle restreint de connaisseurs en relations étroites avec certains Orientalistes des jeunes générations. C'est par Étienne Dinet que l'un des grands experts, Gaston Migeon, fut initié à ces disciplines, et l'éditeur de Dinet, Henri Piazza, fut un des premiers collectionneurs de miniatures. Albert Aublet, qui travailla pendant des années en Tunisie, se constitua une collection de tissus, de céramiques, de manuscrits et de miniatures, achetés non plus seulement pour leurs formes et leurs couleurs, mais choisis avec compétence et goût. Enfin, l'art islamique devait avoir une énorme influence sur les peintres du début du vingtième siècle, tels Auguste Macke, Wassily Kandinsky, Henri Matisse et Paul Klee ; après avoir, pendant des décennies, joué le rôle d'accessoire décoratif dans les tableaux, il allait être à la base de la peinture abstraite. De 1890 à 1940, quelque deux mille peintres français parcoururent le monde, en particulier les possessions françaises, des Antilles et des îles du Pacifique à l'Afrique du Nord, l'Afrique Noire et l'Indochine. Et si la plupart de ces Orientalistes adoptèrent un style plus moderne, certains – notamment Ludwig Deutsch, Rudolf Ernst et Étienne Dinet – peignaient encore selon la tradition académique dans les années 20.

Connaissance des Orientalistes et conseils aux collectionneurs

*R*assembler de la documentation sur les Orientalistes est une tâche curieuse. Souvent aucune monographie ne fut faite à l'époque, même sur des peintres relativement célèbres, et c'est seulement grâce à des recherches récentes que l'on en sait un peu plus sur eux. Dans bien des cas, de copieux articles ont été écrits de leur vivant, mais ils sont souvent trompeurs ou inexacts, soit que l'auteur n'ait pas pris la peine de contrôler, soit que l'artiste ait été interviewé à la fin de sa vie, sa mémoire devenue imprécise. Les titres qui furent à l'époque donnés à des tableaux, et qui sont fidèlement reproduits dans ce livre, comportaient souvent des noms de lieux mal orthographiés ou des transcriptions maladroites. De plus, les titres diffèrent également selon les sources. Certaines œuvres n'ont pas été nécessairement peintes l'année où elles furent exposées (quelques artistes n'exposèrent leurs tableaux qu'une dizaine d'années après leur réalisation). Il est en effet quasiment impossible d'être parfaitement précis, à moins que le tableau n'ait été bien documenté et daté. Le livre de Jean Alazard, premier conservateur du musée national des Beaux-Arts d'Alger, publié en 1930 sur l'Orientalisme français au dix-neuvième siècle, est un modèle d'exactitude. Toutefois, il ne traite longuement que les grands noms du mouvement, avec pas mal de pages consacrées à Albert Lebourg et Auguste Renoir, chose peut-être normale chez un homme attiré plus par les Impressionnistes que par les Académiques. Les lettres et journaux des artistes, quand il en existe, sont évidemment des sources d'information inappréciables, encore que parfois (les mémoires de Georges Clairin, par exemple) ils soient imprécis dans les dates et manquent des renseignements qu'on aimerait le plus avoir. Les introductions des catalogues d'expositions étaient ou trop concises, ou trop verbeuses et ampoulées, pour être de grand secours, alors que les catalogues des ventes d'atelier, particulièrement en France, sont souvent des sources sans égales quand ils ont été préfacés par un ami ou un critique connu qui donne un résumé bien utile de la vie de l'artiste. Il est d'ailleurs intéressant de noter qu'en raison de l'extraordinaire curiosité qui s'est manifestée depuis quelques années envers les Orientalistes, des étudiants à Paris, Aix-en-Provence, Hambourg, Zurich, Tunis, en Caroline du Nord, à New York, pour n'en citer que quelques-uns, font des recherches pour des thèses en université. Les sujets en sont un artiste isolé, l'Orientalisme dans leur pays, ou différents aspects de l'Orientalisme en Angleterre et en France. Il est de règle générale que les artistes qui ont été célèbres en leur temps réapparaissent en tête de liste quand vient un renouveau d'intérêt pour leur domaine, car les réputations sont rarement acquises sans bonnes raisons. Mais être aveuglé par une signature est une erreur ; il peut y avoir de médiocres tableaux dans l'œuvre de tout artiste, et tout aussi bien on peut trouver beaucoup de peintures remarquables chez des artistes qui ne figurent même pas dans les dictionnaires d'art. Ce qui ne veut pas dire que les centaines de pasticheurs voguant dans le sillage d'un mouvement alors à la mode, avec leurs chameaux bancals, leurs couchers de soleil pour boîtes de chocolat et leurs palmiers en carton, présentent quelque intérêt. Mais il y a de belles peintures, et bien traitées, d'artistes pratiquement inconnus, peut-être non remarqués par les critiques, ou exposant rarement, peu féconds, ou simplement dédaigneux des médailles et des honneurs qui mettaient automatiquement les artistes sous les projecteurs.

Albert AUBLET

Paris 1851-Paris 1938
École française

*C*omme beaucoup d'artistes de son temps, Albert Aublet s'intéressa à une large gamme de sujets : scènes historiques et religieuses, intérieurs, vues du Tréport, femmes élégantes et nus sainte-nitouche. Ce fut aussi un Orientaliste dont les premières œuvres, académiques, dans la manière de son maître, Jean-Léon Gérôme, avaient une sensibilité très différente de celles qu'il peignit en Tunisie après 1900.

Aublet fut remarqué par le critique Edmond About dès son premier Salon, en 1873, où son *Intérieur de boucherie au Tréport* fut acheté par Alexandre Dumas fils. Il fut bientôt recherché par des collectionneurs comme Georges de Porto-Riche, le prince-régent de Bavière, Henri Béraldi et les Vanderbilt.

Aublet fit en 1881 le premier de ses voyages en Orient, visitant Constantinople et Brousse, peut-être en compagnie de Gérôme, qui était en Turquie cette année-là. Pendant ce voyage, il alla à Scutari, quartier de Constantinople sur la rive asiatique qui, avec Brousse, était le centre principal des Rüfa'i, ordre de derviches hurleurs fondé au douzième siècle. Dans le tableau d'Aublet, le cheik, le supérieur, pose

délicatement le pied sur le dos de garçons étendus par terre dans un tekke, ou couvent de derviches. Le sous-titre original de ce tableau, exposé au Salon de 1882, était *L'Iman marche sur les enfants pour les mettre sous la protection d'Allah*. Il est plus vraisemblable, toutefois, qu'il s'agit soit d'une cérémonie initiatique – les murides, ou néophytes, sont couchés sur de la peau d'ours, symbole d'autorité – soit d'une cérémonie de guérison. Des scènes très semblables, données comme la guérison des malades par les Rüfa'i de Scutari, sont représentées et par une gravure anglaise de l'époque et par un tableau d'un artiste italien vivant à Constantinople, Fausto Zonaro. Ajoutons que les Rüfa'i étaient réputés pouvoir miraculeusement guérir les blessures qu'ils s'infligeaient au cours de leurs exaltations religieuses.

Deux ans plus tard, en 1883, Aublet, en route pour Alger, traversa l'Espagne en compagnie de Gérôme et de l'Orientaliste italien Alberto Pasini. Avant de passer des Artistes Français à la Société Nationale des Beaux-Arts, un Salon dissident créé en 1890, il exposa une œuvre délicate *Autour d'une partition de Massenet* (vendue aux enchères à Drouot en 1982), dans laquelle les compositeurs Jules Massenet, Vincent d'Indy et Claude Debussy sont rassemblés autour d'un piano, en compagnie de jolies femmes. De nombreux membres des cercles musicaux, littéraires et artistiques étaient amis d'Aublet, qui les recevait dans son atelier de Neuilly décoré dans le style oriental. Aublet était venu pour la première fois à partie de l'année en Afrique du Nord, et fut président du premier Salon artistique, la Société des Artistes de Tunis. Aublet exposa dans de nombreuses villes, de Munich, Madrid et Berlin à Moscou, Le Caire, Chicago et Buenos-Aires. Il envoyait ses paysages et ses hardis portraits en buste de Tunisiens au Salon des Peintres Orientalistes Français et aux Expositions Coloniales de Marseille et Paris en 1906, 1922 et 1931.

Tunis vers 1901 et, en 1904, il peignit le portrait du bey (musée du Bardo, Tunis). L'année suivante, ayant décidé de s'y fixer, il acheta un superbe palais ancien, Dâr ben Abd-Allah, devenu musée local d'art et d'artisanat. Il passait une grande

« Cérémonie des derviches hurleurs de Scutari », huile sur toile, signée et datée 1882, 111 × 146,3cm. Collection particulière.

Gustav BAUERNFEIND

Sulz-am-Neckar 1848-Jérusalem 1904
École allemande

La Porte de la Grande Mosquée à Damas, huile sur panneau, signée, située Damaskus et datée München 1891, 109,2 × 84 cm. Collection particulière.

*O*n avait peu écrit sur la vie et les voyages de Gustav Bauernfeind avant la biographie d'Hugo Schmid de 1980, bien que ses grandes et puissantes peintures de Jérusalem, Jaffa et Damas soient très recherchées de nos jours par les collectionneurs.

C'était l'un des cinq enfants qui vécurent, nés d'un second mariage de Johann Baptist Bauernfeind, pharmacien qui s'était converti au catholicisme, chose très rare à l'époque, et qui prit une part active à la révolution de 1848 en Allemagne, ce qui lui valut de la prison. Il quitta Sulz en 1853, et avec sa famille s'installa à Stuttgart. Dans les années 1860, Gustav Bauernfeind fit de brillantes études d'architecture. Il commença à dessiner au cours d'un voyage qu'il fit en Suisse après avoir obtenu un prix. Ses études de topographie et d'architectures furent plus tard gravées sur bois. En 1873, quelques éditeurs lui demandèrent de faire des dessins du même genre, mais en Italie. Ils eurent un tel succès qu'il fut bientôt très recherché et fit d'autres voyages pour d'autres éditeurs. C'était un excellent dessinateur rendant avec soin les détails ; il acquit un tel sens de la couleur que les collectionneurs se disputaient l'achat de ses peintures. Après avoir remporté un concours pour une grande aquarelle de l'Opéra de Bayreuth, commandée par Louis II, il eut la possibilité de voyager : Égypte, Syrie et Palestine, jusqu'à Jérusalem. L'une des œuvres issues de ce voyage de 1880 : *Ruines du temple de Baalbek*, fut achetée par la Neue Pinakothek de Munich. En 1885, Bauernfeind séjourna, avec une de ses sœurs et son mari, à Beyrouth, où il fit de nombreuses études de personnages, bâtiments, paysages, chameaux. Il commença à exposer ses œuvres à Munich, Nuremberg et Vienne, se spécialisant dans les vues de Jérusalem, Damas et Jaffa, villes où il retourna un bon nombre de fois. Damas et Jaffa étaient rarement représentées par les artistes. Il n'y avait qu'assez peu de temps que des consuls européens avaient été autorisés dans la ville sainte de Damas, point de rassemblement annuel de milliers de pèlerins pour La Mecque, les *hadjis*. L'esprit religieux qui y régnait était tel, jusque vers 1830, que personne ne s'en serait approché vêtu à l'européenne. Quant à Jaffa, qui était d'ailleurs souvent consignée pour raisons sanitaires, la plupart des voyageurs, pressés d'atteindre Jérusalem, y séjournaient peu. Pour Bauernfeind, travailler était difficile, voire dangereux : il ne pouvait passer inaperçu, avec son équipement de photographe et son matériel d'aquarelliste. Nombre des aquarelles faites alors, ainsi que d'autres faites à Jérusalem, sont maintenant à Munich, à la Staatliche Graphische Sammlung. Bauernfeind n'a pas essayé de poétiser les villes, il les a au contraire montrées avec leurs rues étroites et leurs murs et bâtiments croulants. Il peignit, toutefois, plusieurs vues majestueuses de la cour de la Grande Mosquée des Omeyyades de Damas, autrefois considérée comme l'une des merveilles du monde, mais que le feu endommagea gravement en 1893. Dans une autre de ses toiles, de composition et d'éclairage analogues, *Devant la porte de l'esplanade du Temple à Jérusalem*, on distingue le Dôme du Rocher

dans l'encadrement de la grande porte. Parmi d'autres huiles, en général peintes à Munich d'après études et photographies, on peut citer *Scène de rue à Jaffa, Porte de la Grande Mosquée à Damas* et *Béthléem*.

Bauernfeind s'installa à Jérusalem avec sa famille en 1898 et y mourut en 1904 à la suite d'un voyage à Beyrouth que son cœur malade ne supporta pas.

Scène de rue à Jérusalem, huile sur toile, signée et située Jérusalem, 109,2 × 83,2 cm. Anc. Mathaf Gallery, Londres.

Léon
BELLY

Saint-Omer 1827-Paris 1877
École française

*L*éon Belly est connu surtout par une toile impressionnante, *Pèlerins allant à La Mecque*, considérée comme un des chefs-d'œuvre de la peinture orientaliste. Achetée par l'État français en 1861, accrochée au musée du Luxembourg jusqu'en 1881, maintenant au musée d'Orsay à Paris, elle épargna à Belly l'oubli dont l'évolution du goût dans l'art frappa d'autres artistes du dix-neuvième siècle, relégués dans les limbes. Ses œuvres restèrent chez des amis et collectionneurs qui les achetèrent à la vente d'atelier de 1878, ou furent conservées par sa veuve et ses enfants. En dépit de diverses donations par la famille à des musées de Suisse et de France (l'Hôtel Sandelin, à Saint-Omer, en possède la plus importante collection), ce n'est que depuis une quinzaine d'années que l'on redécouvrit et apprécia son œuvre.

D'une famille fortunée, Belly fut élevé par sa mère, son père étant mort en 1828. Après avoir été admis à l'École Polytechnique, il s'orienta vers la peinture, faisant un court séjour dans l'atelier de Picot. Mais c'est surtout par ses contacts et ses liens amicaux avec les peintres de Barbizon qu'il reçut sa formation artistique.

Son premier voyage au Proche-Orient date de 1850, quand il accompagna, avec un autre peintre, Léon Loysel, une mission

scientifique conduite par L.F. Caignart de Saulcy pour étudier la géographie historique de la région. Ils côtoyèrent la mer Morte et, en avril de l'année suivante, Belly et Loysel montèrent à Beyrouth, puis allèrent au Caire et à Alexandrie. Les œuvres de Belly réalisées alors, telles que les ruines classiques de

Baalbek et les curieux oliviers de Nabi Jonas, entre Beyrouth et Sidon, révèlent une certaine influence de Marilhat, tant dans les teintes que dans la technique. Rentré en France, Belly travailla en forêt de Fontainebleau et eut une vie mondaine active, donnant chez lui des soirées musicales, participant aux réunions du cercle artistique et littéraire qui s'était formé autour de Jules Laurens.

Son premier Salon, en 1853, comprenait des vues des environs de désert du Sinaï, avec son ami Narcisse Berchère. Ils peignirent souvent les mêmes paysages, et Berchère devait acheter, à la vente de l'atelier de Belly, *Les Bords du Nil*, exposés en 1862 à l'Exposition Universelle de Londres. Les vues du désert de Belly sont remarquables ; vides, sans personnages, leur atmosphère étrange, presque fantastique, résulte uniquement des mouvements du sol aride. « La couleur et la forme des terrains sont d'une beauté inouïe, écrivait-il à sa

Beyrouth et du Caire, mais à l'Exposition Universelle de 1855 à Paris, il présenta des paysages de France et le portrait du grand Italien en exil, Daniel Manin. Il retourna en Orient en octobre 1855, cette fois en Égypte, et fut logé au palais de Soliman Pacha, dans le Vieux Caire. Au printemps suivant, il parcourut le

La Chasse à la gazelle, huile sur toile, signée et datée 1857, 74,5 × 146 cm. Collection particulière.

mère, rien ne peut te donner une idée de la magnificence de la couleur, de l'accord étonnant du ciel qui paraît presque violet, avec des sables mêlés de pourpre et d'or et d'une mer turquoise. » Deux autres toiles, maintenant au musée des Arts d'Afrique et d'Océanie à Paris, *Le Désert de Libye* et *La Mer morte* (son œuvre la plus célèbre après les *Pèlerins*), rendent aussi la désolation de ces régions de façon frappante et inquiétante. Avec Édouard Imer, qu'il avait rencontré au Caire, Gérôme, Berchère et Bartholdi, Belly navigua sur le Nil de juillet à octobre, peignant soit du bateau, soit sur la rive, une série de petits tableaux qui montrent son vif intérêt pour les harmonies de couleurs et son analyse des valeurs lumineuses. Il fit aussi des études anatomiques de chameaux et de buffles, et des études de personnages à l'huile en touches vigoureuses, dans lesquelles les volumes et la robustesse l'emportent sur le détail anecdotique. Déjà frappé, lors d'un précédent voyage, par la noblesse des gestes des paysannes égyptiennes, il en fit de nombreuses études. Belly alla encore une fois en Égypte, en 1857, avec Louis Mouchot, devenu son élève. Après son mariage, en 1862, Belly

abandonna toute idée de grands voyages, mais s'acquit bientôt une solide renommée de peintre orientaliste. Le Salon de 1861, avec des vues du Proche-Orient et surtout *Les Pèlerins*, fut pour lui un triomphe. Quoique le gros intérêt de cette œuvre résidât dans l'originalité de l'éclairage, Belly attachait à ce tableau imposant une signification au-delà de la simple représentation de la scène religieuse du tapis sacré, le Mahmal,

allant à La Mecque avec les pèlerins.
Comme P. Wintrebert le fait
remarquer dans sa thèse de 1974, la
Sainte Famille est visible sur la
gauche ; Belly croyait en une religion
universelle, avec une seule foi en un
même Dieu. Il vivait le plus souvent
dans son château de Montboulan ;
après une paralysie temporaire, il se
rétablit assez pour se remettre au
travail. Il mourut d'une apoplexie à
son domicile parisien en 1877.

*« Pèlerins allant à La Mecque », huile sur
toile, signée et datée 1861, 161 × 242 cm.
Musée d'Orsay, Paris.*

BENJAMIN-CONSTANT

Paris 1845-Paris 1902
École française

L'atelier de Jean-Joseph Benjamin Constant (dit Benjamin-Constant), à Pigalle, était bourré d'objets ramenés de son voyage en Espagne et au Maroc : tapis accrochés aux murs, tissus drapés sur les balustrades, gros coussins brodés posés sur des divans fournissaient à l'artiste le décor exotique des tableaux qu'il peignit pendant plus d'une décennie après son voyage. D'une famille languedocienne, descendant du politicien Benjamin Constant de Rebecque, Benjamin-Constant passa sa jeunesse à Toulouse où il fréquenta l'École des Beaux-Arts avant d'entrer à l'École des Beaux-Arts de Paris, dans l'atelier d'Alexandre Cabanel. Il débuta au Salon en 1869 avec *Hamlet et le Roi*. Il prit part à la guerre de 1870, et ne continua pas ses études après. Il

Arabes dans un intérieur, huile sur toile, signée, 56 × 84 cm. Collection particulière.

préféra partir pour l'Espagne : Madrid, Tolède, Cordoue et Grenade (où il rencontra Mariano Fortuny y Marsal). L'architecture mudéjar de Grenade lui servit, plus tard, dans son grand tableau *Le Lendemain d'une victoire à l'Alhambra – Espagne mauresque, XIVe siècle* (Salon de 1882, musée de Montréal), dans lequel des captives et du butin sont appréciés par un vainqueur et sa suite. Marchant dans les traces de Fortuny, Henri Regnault et Georges Clairin, il alla au Maroc par Gibraltar, en compagnie de Charles Tissot. Le diplomate partit bientôt pour Fez avec Clairin, et Benjamin-Constant, qui envisageait de ne passer qu'un mois, prolongea son séjour, semble-t-il, deux ans. La première de ses œuvres issues de ce séjour fut *Femmes du Riff (Maroc)*, exposée au Salon de 1873. Puis vint une série de somptueuses scènes orientales, caractérisées par la richesse des coloris et l'abondance de détails. Les femmes en étaient souvent le sujet, comme dans *Le Harem marocain, Les Chérifas* (musée des Beaux-Arts, Carcassonne), *Les Favorites de l'émir*, et *Le Soir sur les terrasses, Maroc*. Ce dernier, maintenant au musée de Montréal, a été popularisé par la photographie. D'autres, souvent des scènes historiques, sont plus dramatiques et violentes : la monumentale *Entrée de Mahomet II à Constantinople, le 29 mai 1453* (musée des Augustins, Toulouse), *Les Derniers Rebelles* (localisation inconnue, anciennement musée du Luxembourg) et *Justice du Chérif* (en dépôt au musée de Lunéville). Le goût de Benjamin-Constant pour

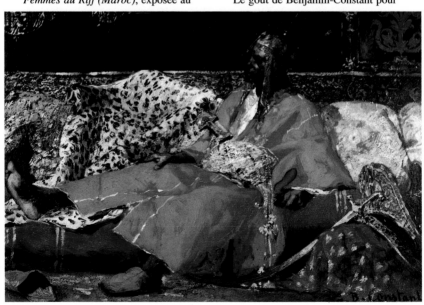

Sarrasin étendu sur un divan, huile sur panneau, signée, 23,5 × 32 cm. Anc. Gallery Keops, Genève.

le luxe et la pompe l'amena à s'intéresser à d'autres régions et époques : ainsi ses personnages bibliques et byzantins *Judith, Hérodiade, Théodora* et un colossal *Justinien*. Mais après l'échec de ce tableau qui rata la médaille d'or au Salon de 1886, il abandonna progressivement sa période orientaliste et historique.

Il remplaça en 1883 son maître Cabanel, vieillissant, à l'École des Beaux-Arts et fut nommé, cinq ans

à aller à New York en 1887-88, où il reçut des commandes de portraits de plusieurs hommes d'affaires arrivés. Ses portraits avaient autant de succès en Angleterre où, parmi les célébrités qui posèrent pour lui, on cite la reine Victoria, la reine Alexandra, Lord Dufferin and Ava. Membre de l'Institut en 1893, il travailla pendant les dernières années du siècle à la décoration de bâtiments publics à Paris, dont la Sorbonne et l'Opéra-Comique.

après, à la place de Gustave Boulanger à l'Académie Julian, le havre des étudiants étrangers à Paris. Il put orienter l'évolution de nombreux peintres américains de cette période, et dans le même temps ses œuvres étaient très recherchées par les nouveaux riches collectionneurs d'Amérique du Nord, ce qui était en partie dû aux efforts des vendeurs, particulièrement Goupil et Cie, et leurs successeurs, Boussod, Valadon et Cie. Ce succès auprès des Américains l'encouragea

Le Léopard apprivoisé, huile sur panneau, signée et datée 1880, 80 × 120 cm. Collection particulière.

Page de gauche : Femmes du harem, huile sur panneau, signée, 126 × 82 cm. Collection particulière.

Narcisse
BERCHÈRE

Étampes 1819-Asnières 1891
École française

*B*ien que Narcisse Berchère n'ait jamais connu la célébrité, il a quand même sa place dans l'histoire de l'Orientalisme, tant en raison de son profond attachement pour le désert que pour la qualité de ses toiles. Élève de Rémon à l'École des Beaux-Arts, à Paris, il en partit après son échec au Grand Prix de Rome. Il voyagea pendant plusieurs années à travers la France. Ses premiers paysages, dans des coloris sobres, subissaient l'influence de Théodore Rousseau, Paul Huet et Jules Dupré, qui devaient former l'école de Barbizon de peinture en plein air. Descendant au sud, en Provence, aux Baléares, en Espagne, sa palette devint plus claire et plus riche. En 1849 et 1850, il visita l'Égypte, l'Asie Mineure, les îles grecques et Venise, envoya ses œuvres au Salon et à l'Exposition Universelle de 1855, où il obtint sa première récompense officielle. Il commença à graver ses propres œuvres, ayant déjà réalisé deux eaux-fortes, *Le Roi Lear* et *Hamlet*, en 1854, d'après des dessins de Gustave Moreau, artiste symboliste ami à la fois de lui-même et de l'Orientaliste Eugène Fromentin.

En 1856, Berchère passa avril et mai dans le Sinaï avec Léon Belly, et de juillet à octobre visita la Basse-Égypte en compagnie de Jean-Léon Gérôme et du sculpteur Frédéric-Auguste Bartholdi. Quatre ans plus tard, il était choisi par Ferdinand de Lesseps pour noter les différentes étapes du percement du canal de Suez dont les travaux commençaient enfin, alors que le premier acte de concession avait été obtenu par Lesseps en 1854 du vice-roi d'Égypte, Mohammed Saïd ; cette commande officielle, malgré l'énormité de l'entreprise, n'occupait pas tout son temps, et il fit plusieurs excursions privées pour admirer et noter la région environnante. C'était, écrivit-il, « un retour à des pays aimés et déjà parcourus, attrait de choses nouvelles, enivrement de la vie de voyages, bonheur de l'imprévu ». Il publia ses souvenirs en 1863 sous forme de lettres adressées à Eugène Fromentin à qui il dédia son livre *Le Désert de Suez, cinq mois dans l'isthme*. Écrit simplement et avec talent, on a plaisir à le lire. On y partage sa jouissance du silence absolu troublé seulement par le passage d'une caravane et sa fascination du désert avec son « imprévu, sa poésie grandiose, ses mirages et ses effets changeants... le désert vous attache, on sent que, si triste et morne qu'il paraisse, il vit et palpite d'une vie qui lui est propre ». On peut imaginer, ainsi, qu'il fut ravi de pouvoir y retourner en 1869, comme membre de la mission officielle envoyée à l'inauguration du canal, avec Fromentin, Frère, Gérôme et Vacher de Tournemine.
Qu'il peignît en Palestine, en Syrie ou en Égypte, Berchère ne

s'imposait pas de représenter l'architecture ou les costumes islamiques. Les ruines romaines de Palmyre ou un arbre de dimensions exceptionnelles avaient tout autant d'intérêt pour lui. Ses huiles et aquarelles sont œuvres de paysagiste dans le sens le plus large du terme, non d'un « Orientaliste » convaincu qui choisit ses sujets pour flatter le goût de l'exotisme.

Parfois fouillées dans les détails, parfois traitées par touches larges et libres dans des bruns, des bleus clairs et des verts soutenus de quelques pointes de turquoise, les toiles de Berchère ont beaucoup de charme. Dans les années 1870 et 1880, il se mit à peindre d'humbles choses courantes : un pot d'olives, des courges, des fruits, des miches de pain. Il conservait pour lui ces natures mortes, de couleurs riches sur fonds sombres, se refusant à les exposer ou les vendre. Il fut l'un des fondateurs du musée privé de sa ville natale, et fit partie du conseil d'administration à partir de 1875. Ce musée possède maintenant de nombreuses aquarelles de Berchère, surtout des vues de la campagne environnante.

Campement, huile sur toile, signée et datée 1869, 71 × 109 cm. Anc. Mathaf Gallery, Londres.

Maurice
BOMPARD

Rodez 1857-   1936
École française

*B*ompard puisa son exotisme à deux sources : le Sud algérien et Venise. Il vint à Marseille très jeune étudier la peinture, puis alla à Paris, où il fut l'élève de Gustave Boulanger et Jules Lefebvre, et débuta aux Artistes Français en 1878. Une bourse de voyage, obtenue en 1882, lui permit de visiter l'Allemagne, l'Italie, la Tunisie et l'Espagne. Ses premières œuvres orientalistes, dont *Boucherie tunisienne* et *Harem à Grenade*, furent estimées par la critique trop chargées en bitumes et en rouges, et peu plaisantes. Outre ses portraits de personnes ayant un certain rang, il exposa des compositions d'un Orient imaginaire, comme *La Favorite* et *Scène de harem* (musée des Beaux-Arts, Marseille), dans lesquelles les plastiques sensuelles de femmes dévêtues se détachent sur un fond sombre.

Son tableau *Les Bouchers de Chetma*, exposé au Salon des Artistes Français de 1890, marque un tournant dans sa conception de l'Orient. Au cours des années 1890 et 1900, il peignit la vie quotidienne à Biskra et dans l'oasis voisine de Chetma, aux magnifiques jardins riches de dix-huit mille palmiers. Biskra, avec ses murs croulants et ses dattiers célèbres, et le vieux Biskra, essaim de villages autour d'un ancien fort turc, n'étaient déjà plus, à l'époque, ce site vierge qu'avaient goûté les premières générations de peintres orientalistes. C'était devenu une station hivernale appréciée des Européens, avec hôtels, casino, reliée à Sétif par une voie ferrée.

Bompard pouvait facilement passer de la technique académique soigneusement léchée à une technique plus libre, plus moderne, à grandes touches de couleur pure. Il réussissait parfaitement dans les effets subtils de lumière. Il prit part à l'Exposition Universelle de Paris en 1900, et à l'Exposition Coloniale de Marseille en 1906. Il était membre de la Société des Peintres Orientalistes Français et présentait ses œuvres au Salon des Artistes Algériens et Orientalistes à Alger. Il continua à exposer aux Artistes Français jusqu'à sa mort, mais surtout des natures mortes et des vues de Venise. Le musée des Beaux-Arts de Marseille offre un bon aperçu de son œuvre.

« *Mosquée de Sidi Mohammed, Chetma* »,
huile sur toile, signée, située et datée
Sepbre 1890, 36,8 × 44,5 cm. Anc. Mathaf
Gallery, Londres.

Gustave
BOULANGER

Paris 1824-Paris 1888
École française

D'une famille créole ruinée,
orphelin de bonne heure, Boulanger
fut adopté par son oncle, A.M.
Desbrosses, fonctionnaire à San
Domingue. En 1841, Desbrosses le
fit inscrire comme élève du peintre
d'histoire Pierre-Jules Jollivet.
Boulanger suivit également les cours
de Paul Delaroche, où il rencontra
Jean-Louis Hamon, Henri Picou et
Jean-Léon Gérôme, avec lesquels il
allait développer le mouvement
« néo-grec ». En 1845, il fut envoyé
en Algérie par son oncle. Il y resta
huit mois, faisant de nombreuses
études de personnages et de
paysages, de la Kabylie aux Aurès.
L'année suivante, il entra à l'école
des Beaux-Arts et, en 1849, décrocha
le Premier Prix de Rome. Pendant
son séjour à la Villa Médicis, il opta
définitivement pour deux tendances
artistiques : le Néo-classicisme et

l'Orientalisme. Fidèle exposant au
Salon, il y envoya des scènes
algériennes, telles *Pâtres arabes*
(1859), *Les Kabyles en déroute*
(1863), *Djeïd et Sahia* (1865), *Les
Chaouaches du Hakem* (1871) et *La
Quête de l'Aïd Srir à*

Biskra (1873), œuvres traitées avec
toute la précision de son ami
Gérôme. Professeur à l'École des
Beaux-Arts de Paris et à l'Académie
Julian, membre de l'Institut, il fut un
défenseur acharné des conceptions
académiques traditionnelles.

*Le Cavalier, huile sur panneau, signée et
datée 1865, 57,5 × 81 cm. Anc. Mathaf
Gallery, Londres.*

Sir Frank BRANGWYN

Bruges 1867-Ditchling 1956
École anglaise

Sir Frank Brangwyn était un homme remarquable, qui mettait son énergie et son talent au service de toutes les formes de l'art et des arts appliqués. La critique et les articles au début de sa carrière étaient si abondants et fleuris qu'il est difficile d'apprécier son importance réelle dans son temps. Une chose est en tout cas certaine : il fut, et demeure, un artiste qui ne laisse pas indifférent, on l'admire ou on le déteste. Son père, petit architecte anglo-gallois, spécialisé dans l'art sacré, qui était allé en Belgique pour des raisons d'ordre économique, lui enseigna tôt le dessin. Jeune homme, il vint s'établir en Angleterre, y connut l'architecte A.H. Mackmurdo, et William Morris, chef du mouvement Arts and Crafts. Il fut apprenti chez Morris de 1882 à 1884, faisant surtout du dessin décoratif à main levée et agrandissant les esquisses de Morris pour des tapis, des papiers peints, des tapisseries, etc. Tout au long de sa vie, il se complut dans la bonne habileté manuelle et se considéra toujours comme un homme du peuple : le travail valeureux fut un de ses thèmes favoris. Il fit ses premiers voyages à bord de cargos. En 1888, il visita les Dardanelles, Constantinople et la mer Noire, l'année suivante Tunis, Smyrne et Trébizonde. Il alla par contre en Espagne en 1891 par

ses propres moyens, en compagnie d'Arthur Melville. L'influence de l'aquarelliste écossais développa son sens de la couleur et assouplit sa technique.

Brangwyn s'était bâti une réputation de paysagiste spontané et puissant et de peintre de marines presque monochromes. Mais en 1893, année de son voyage au Maroc avec le coloriste Dudley Hardy, il exposa des *Buccaneers (Boucaniers)*, véritable jaillissement de peinture qui heurta les critiques. Présentée au Salon de la Société Nationale des Beaux-Arts à Paris, cette toile somptueuse reçut un bien meilleur accueil du public du continent. Cette incursion en terres nouvelles devint une tendance durable, dans des œuvres comme *La Corne d'Or, Le Retour des messagers de la Terre Promise, L'Anniversaire du Rajah* et *Marché sur une plage marocaine*, acheté par le musée du Luxembourg. Dans ces tableaux, souvent d'une imagination fantastique, Brangwyn montrait un sens magistral des attitudes et de la composition, servi par une exagération théâtrale et un instinct dramatique. Après 1900, ses coups de brosse audacieux et les tons locaux puissants le firent quasiment basculer dans l'abstrait. Bientôt il abandonnait le tableau de chevalet et se tournait vers les arts appliqués : cartons de vitraux pour Louis Comfort Tiffany, tapis et frise pour le pavillon *L'Art Nouveau* de S. Bing à l'Exposition Universelle de 1900, affiches, dessins de meubles et de céramiques, gravure à l'eau-forte... tout lui était d'égal intérêt.

Au cours des années suivantes, Brangwyn eut de nombreuses commandes importantes pour des décorations grandioses dans des bâtiments privés, commerciaux, corporatifs et publics. Plusieurs d'entre elles aux États-Unis, dont celle pour le Rockefeller Center à New York. Des projets pour un musée Brangwyn à Tokyo ont avorté à la suite d'un tremblement de terre, mais d'autres ont vu le jour à Orange, Bruges et Pékin. Malgré l'extravagance apparente de son œuvre, Brangwyn était en fait un homme extrêmement timide, qui passa ses dernières années vivant pratiquement reclus dans le Sussex. En 1952, toutefois, la Royal Academy organisa une exposition de près de cinq cents de ses œuvres, la première qu'organisait cette institution pour un de ses membres encore en vie. C'était reconnaître que Brangwyn était l'artiste britannique le plus connu mondialement et le plus applaudi de son temps, et honoré par plusieurs académies étrangères.

Les Marchands ou Sur la route de Samarkande, huile sur toile, signée avec les initiales, vers 1907, 101,5 × 96,5 cm. Collection Rodney Brangwyn, Londres.

Fabius
BREST

Marseille 1823-Marseille 1900
École française

Scène de rue à Constantinople, huile sur carton, signée et datée 1924, 130 × 160,5 cm. Anc. Galerie Antinéa, Paris.

*E*ncouragé par son professeur à Marseille, Emile Loubon, qui avait fait un voyage en Palestine, Brest séjourna en Asie Mineure pendant quatre ans à partir de 1855. Ses tableaux, aux couleurs sobres et aux compositions équilibrées, évoquant le charme un peu mystérieux des rives du Bosphore, firent sa réputation. Au Salon, il exposa des cérémonies de la Sublime Porte, des mosquées, des maisons de la Corne d'Or et de Trébizonde, mais aussi des scènes bien moins souvent décrites par les peintres voyageurs. En effet, son *Missir-Charsi, bazar des drogues à Constantinople* (1861) fut suivi par d'autres tableaux où le paradis artificiel tient une place d'honneur : *Kief sur la route de Kerrassune à Amassia (Asie Mineure)* (1863), *Kief de l'Ok Meïdan à Constantinople* (1867) et *Kief de Hamour, aux environs de Constantinople* (1875). Pendant les années 1860 et 1870, Brest envoya au Salon des vues plus classiques de Venise et du Midi. Des exemplaires de ses œuvres sont conservés aux musées de Béziers, Bayonne, Nantes, Marseille et Saintes.

Kief de Funduk Suyou dans la vallée aux roses, Constantinople, huile sur toile, signée et datée 1861, 55 × 44,5 cm. Collection particulière.

Frederick Arthur BRIDGMAN

Tuskegee 1847-Rouen 1928
École américaine

Sur la terrasse, huile sur toile, signée,
96 × 52 cm. Collection Zeit Foto Co. Ltd.,
Tokyo. Anc. collection Galerie Nataf,
Paris.

*F*ils d'un docteur de Boston, Bridgman est né à Tuskegee, dans un État du Sud, l'Alabama. C'est là qu'il vit des marchés d'esclaves avant la Guerre de Sécession : il en resta un anticolonialiste convaincu. Après avoir étudié à la National Academy of Design à New York, il travailla pour l'American Banknote Company. Peu satisfait de la tournure que prenait sa vie, il partit pour Paris avec une bourse de voyage, et étudia avec Jean-Léon Gérôme. Il peignit quelque temps à Pont-Aven, où se trouvait une colonie américaine. Dans les années 1870 et 1880, Bridgman alla plusieurs fois en Égypte, à Alger et dans le Sud algérien.

Il écrivit un livre, *Winters in Algiers*, publié chez Harper Brothers à New York en 1890 et illustré de ses propres peintures. C'était un photographe amateur enragé, et il travaillait d'après ses photographies tout autant que d'après ses esquisses de voyage. Outre des scènes de la vie algérienne, comme *Villa mauresque à El-Biar, Sur les terrasses, Algérie, Intérieur à Biskra, Le Bey de Constantine recevant ses hôtes*, il peignait des reconstitutions historiques de l'ancienne Égypte et de l'Assyrie, *Divertissement royal à Ninive, Passage de la Mer Rouge par Pharaon* et *Funérailles d'une momie*. Il avait deux ateliers sur le boulevard Malesherbes, le quartier adopté par les artistes académiques. L'un était décoré dans le style égyptien, l'autre plein de palmiers, de tissus, de moucharabiehs, de céramiques arabes et de narghilés, créant une atmosphère des Mille et Une Nuits, dans laquelle il aimait évoluer en costume oriental.

Peintre, Bridgman était aussi sportif et musicien amateur, et menait une vie mondaine brillante. Marié à une riche Américaine, Florence Mott Baker, il n'avait pas besoin de vendre ses peintures pour vivre, mais il continuait à peindre tous les jours. Bien qu'il fût proche des peintres académiques, il admirait Manet et Renoir, et ses toiles, avec leurs coloris frais, montraient une certaine

vendit ses œuvres à des prix très élevés. Après la Première Guerre mondiale, Bridgman alla vivre en Normandie, à Lyons-la-Forêt, où il continua à peindre de mémoire des scènes algériennes qui, peu à peu, devenaient plus douceâtres et artificielles. Il passait les étés à Monte-Carlo et à Nice avec sa seconde femme, Martha.

influence des Impressionnistes. Il exposait régulièrement aux Salons de Paris, aux Artistes Français, aux Peintres Orientalistes Français et à la Société Coloniale des Artistes Français, en même temps qu'à la Royal Academy à Londres. Il participa aussi aux Expositions Universelles de 1878, 1889 et 1900. Il loua des galeries privées à Chicago, New York et Paris, et y

Dans la cour, El Biar, huile sur toile, signée, 83,2 × 116,8 cm. Collection particulière.

Théodore
CHASSÉRIAU

El Limón (Santo Domingo) 1819-Paris 1856
École française

*L*es tableaux orientalistes de Théodore Chassériau mêlent l'idéalisation néo-classique d'Ingres à l'emploi impulsif de la couleur de Delacroix. Empreints de sensibilité et d'une grande intensité, ils comptent parmi les visions les plus originales du monde oriental.

Le père de Chassériau, fonctionnaire qui eut une vie instable et vagabonde, ramena en 1822 sa famille des Antilles à Paris, et repartit seul pour l'Amérique du Sud, tandis que sa mère, fille d'un colon français, retournait chez elle. Les enfants furent élevés par leur frère aîné, Frédéric. Théodore fut, tout jeune, élève d'Ingres, qui eut pour son talent une profonde admiration, et l'appela à Rome lorsqu'il fut nommé directeur de l'Académie de France. Mais Chassériau préférait travailler seul. Il commença par des portraits et des sujets bibliques et classiques, tels *Suzanne au bain* exposé au Salon de 1839, et *Esther se parant pour paraître devant Assuérus* (musée du Louvre, Paris). Ces nus sensuels, chargés de toute la poésie de l'Orient, montrent chez Chassériau le goût déjà développé de l'exotisme. A l'époque, on glosa beaucoup sur la nostalgie que ce créole avait de sa terre natale, mais il est plus probable que cette tendance était due à son admiration pour Delacroix et à son amitié pour Prosper Marilhat,

Juives au balcon, huile sur panneau, signée et datée 1849, 35,7 × 25,3 cm. Musée du Louvre.

Théophile Gautier et Gérard de Nerval. En 1843, il termina la commande d'une composition murale à l'église Saint-Merri, à Paris, dans laquelle ses épisodes de la vie de sainte Marie l'Égyptienne mêlaient les antiquités classique et orientale. Une autre commande, le portrait d'Ali ben Ahmed, calife de Constantine, constitua un tournant dans sa carrière. Ce tableau fut exposé au Salon de 1845, en même temps que le très approchant portrait, par Delacroix, du sultan du Maroc, Moulay Abd-er-Rahman. Chassériau s'était lié d'amitié avec le calife durant son séjour à Paris, où son allure originale faisait sensation dans les rues et à l'Opéra. Cette amitié amena une invitation du chef algérien à visiter sa place forte de Constantine. En y arrivant, en mai 1846, Chassériau jugea que cette ville étonnante, plantée sur un rocher

« Danse aux mouchoirs » ou « Danseuses mauresques », huile sur panneau, signée et datée 1849, 32 × 40 cm. Musée du Louvre, Paris.

aux parois verticales, était pleine « de vrais trésors pour un artiste ». « Le pays est très beau et très neuf », écrivait-il. « Je suis dans les Mille et Une Nuits. » Il était fasciné par la variété des types ethniques et voyait « la race arabe et la race juive comme elles étaient à leur premier jour ». Il passa la suite de son séjour de deux mois à Alger. Bien que la ville fût trop francisée à son goût, il était séduit par la lumière et la beauté des teintes du ciel et de la mer. Cependant, le paysage intéressait peu l'artiste ; par contre, il faisait de fiévreuses esquisses des gens, au crayon et à l'aquarelle. Comme Delacroix, il constata qu'il était plus facile de pénétrer chez les juifs et c'est chez eux qu'il trouva la plupart de ses modèles. Sa première œuvre algérienne importante fut *Sabbat dans le quartier juif à Constantine*, une toile immense qui fut détruite par le feu avant qu'aucun compte rendu pût être fait. Elle fut refusée au Salon de 1847, mais fut présentée au Salon libre de 1848, où elle fut accueillie avec enthousiasme par Gautier, un des plus fervents admirateurs de Chassériau.

L'artiste avait fait de nombreuses études de chevaux arabes en Algérie, qui devinrent le motif principal de ces toiles vivantes que sont *Cavaliers arabes emportant leurs morts* (Fogg Museum of Art, Cambridge, Massachusetts), *Combat de Cavaliers arabes* (Smith College Museum of Art, Northampton, Massachusetts) et *Deux Chefs arabes se défiant en combat singulier* (musée du Louvre, Paris). D'autres œuvres rendent des aspects dignes et mélancoliques de la vie domestique, telles les *Juives de Constantine au balcon* (musée du Louvre, Paris), *Femme maure allaitant son enfant* et *Deux jeunes juives de Constantine berçant un enfant*. Quant à ses nus sensuels, pour lesquels il prit des modèles parisiens, *Femme mauresque sortant du bain, Odalisque couchée, Toilette orientale* et *Intérieur de harem*, ils évoquaient un Orient aussi imaginaire et fantastique que ceux qu'il avait peints avant son voyage en Afrique. Chassériau avait eu des alertes de santé depuis 1852 ; pourtant, quand il mourut, âgé de trente-sept ans, le monde des arts fut pétrifié.

*« Ali ben Ahmed, khalife de Constantine,
suivi de son escorte », huile sur toile,
signée et datée 1845, 325 × 260 cm. Musée
National du Château, Versailles.*

Alfred CHATAUD

Marseille 1833-Alger 1908
École française

Marchande d'oranges dans la casbah d'Alger, huile sur toile, signée, 54 × 39,5 cm. Anc. Galerie Antinéa, Paris.

*A*lfred Chataud fut un des premiers peintres à s'installer en Algérie et, bien qu'il soit mort pratiquement inconnu, c'est lui qui sema les graines du mouvement artistique destiné à devenir l'École d'Alger dans les années 1920. Fils d'un banquier, il était prévu que Chataud ferait carrière dans les assurances (il fît même un stage à la « Nationale », à Paris). Il abandonna bientôt la sécurité qui s'offrait à lui, et rentra à Marseille en 1857, pour y prendre des leçons avec Émile Loubon, qui forma des générations de peintres provençaux. De retour à Paris, il étudia avec Charles Gleyre, et voyait souvent Paul Guigou et Adolphe Monticelli, peintres tous deux originaires du Midi. En 1856, il fit son premier voyage en Algérie, où sa famille avait des biens, et prit alors l'habitude de courts séjours à Alger et dans la région de Bône, passant les hivers à Paris et retournant au début de l'été en Afrique du Nord, poussant parfois en Tunisie et au Maroc. Bien qu'il peignît des paysages autour de Mantes (où il passa sept ans), de Fontainebleau et des environs de Paris, ce fut presque exclusivement des sujets algériens qu'il envoya aux Salons, tant de Paris que de Marseille. Inspiré par les œuvres mélodramatiques d'Henri Regnault – il fit en 1873 une copie de son envoi de deuxième année de l'Académie de France à Rome, *Judith et Holopherne* – il peignit des scènes d'un Orient de fantaisie, tel *Un drame dans le sérail* (musée des Beaux-Arts de Marseille), *Farniente* (musée des Beaux-Arts, Constantine) et *L'Eunuque endormi,* style qu'il abandonna bientôt. Il était aussi attiré par les groupes de personnages *(Musiciens nègres à Alger*, musée des Beaux-Arts, Marseille).

En 1892, Chataud dut se rendre à Alger pour régler un litige ayant trait à une propriété, et décida de s'installer sur un petit domaine familial près de Sidi-Moussa. S'il envoya de moins en moins d'œuvres aux expositions de Paris, il s'attacha à la création, en 1897, du plus important des Salons algériens, la Société des Artistes Algériens et Orientalistes, dont il devint vice-président en 1904.

Chataud fut particulièrement attiré par les vieux quartiers d'Alger et de Tlemcen, dont il fit de nombreux dessins et petites aquarelles, souvent simples esquisses, études d'architecture et de décorations sans personnages, telles l'*Intérieur de mosquée*, la *Mosquée Sidi-Abderrahman à Alger,* le *Coin de maison mauresque.* Fervent de l'art musulman, il fit des études de bijoux, de lampes de mosquée et de reliures de Coran. C'est à Léonce Bénédite, conservateur du musée du Luxembourg et fondateur de la Société des Peintres Orientalistes Français de Paris, que l'on doit la première exposition particulière de Chataud à Alger. Étant venu pour inaugurer le musée municipal, il fut surpris que le talent de Chataud fût si peu connu. Une exposition fut organisée au musée par le peintre Fritz Muller, mais Chataud mourut un mois avant, en avril 1908, à Mustapha, sur les hauteurs d'Alger. Son œuvre fut présentée à l'Exposition Coloniale de Vincennes en 1931 et au Salon de l'Afrique Artistique Française à Paris en 1935. Puis Jean Alazard, conservateur du musée national des Beaux-Arts d'Alger, organisa une rétrospective de ses œuvres en son musée en 1937. La moitié des cent dix-sept œuvres furent prêtées par Frédéric Lung, le plus grand collectionneur d'Alger, d'autres par un autre protecteur des arts, Louis Meley. Depuis lors, on ne vit plus ses œuvres jusqu'à l'exposition de Marseille, *Les Orientalistes provençaux,* en 1982.

Fontaine dans la casbah d'Alger, huile sur panneau, 62 × 32 cm. Collection particulière.

Stanislas
VON
CHLEBOWSKI

Puhutynce 1835-Poznan 1884
École polonaise

*C*hlebowski étudia à Saint-Pétersbourg, Munich, puis à Paris sous la direction de Jean-Léon Gérôme. Après de nombreux voyages à travers l'Europe, il demeura attaché pendant douze ans, à partir de 1864, à la cour du sultan Abdul Aziz à Constantinople. Il peignit des épisodes de l'histoire de la Turquie, tels *Le Sultan Achmed III à la chasse, Entrée de Mohammed II à Stamboul* (Musée de Cracovie), ainsi que des scènes de la vie quotidienne. En 1866, il fit un

Musicien dans une rue de Stamboul, huile sur panneau, signée et datée 1872, 10 × 19,5 cm. Anc. collection Alain Lesieutre, Paris.

portrait émouvant du chef algérien Abd el-Kader, alors en exil (Musée Condé, Chantilly).
L'artiste gagna ensuite Paris, exposant au Salon en 1878 *Tamerlan et Bajazet* (1878) et *Un Brocanteur circassien à Constantinople* (1879). En 1881, il retourna dans son pays natal et installa son atelier à Cracovie.

« *Les Mendiants à l'entrée de la mosquée Sultan Hassan au Caire* », *huile sur toile, signée et datée 1881, 74 × 55 cm. Anc. Gallery Keops, Genève.*

Georges CLAIRIN

Paris 1843-Belle-Île-en-Mer 1919
École française

L'Entrée au harem, huile sur toile, signée, 81,9 × 65 cm. Walters Art Gallery, Baltimore.

*G*rand voyageur, il se qualifiait lui-même de « vagabond par nature », mais le plus Parisien des Parisiens, Georges Clairin, n'atteignit jamais à la notoriété de son cher ami Henri Regnault. Il n'en est pas moins un artiste intéressant, dont l'œuvre mérite une étude sérieuse. Clairin apprit son métier avec Regnault, à l'École des Beaux-Arts de Paris.

Accompagnés d'autres camarades, ils firent leur premier voyage ensemble en Bretagne, où Clairin était déjà allé avec son père, qui avait réalisé les premières voies ferrées. Il devait y retourner souvent. Clairin et Regnault se retrouvèrent à nouveau en Espagne où ils appuyèrent – peu de temps – les républicains pendant la révolution. C'est Clairin qui posa, à Madrid, pour le fameux portrait du général Prim par Regnault : Clairin, revêtu de l'uniforme de général, était à califourchon sur un tonneau. Les deux jeunes gens, sans un sou mais toujours pleins d'ardeur, allèrent à Barcelone et à Grenade où ils passèrent des journées dans l'Alhambra (« ma divine maîtresse... en or, argent, diamant », selon les mots de Regnault), qui fut leur deuxième atelier : ils firent des foules d'esquisses de son architecture hispano-mauresque, qu'ils utilisèrent pour cadres dans leurs œuvres. Clairin rejoignit Regnault à Tanger, où son ami était arrivé en décembre 1869. Le Maroc dépassa ses rêves : « la couleur de l'Orient, l'odeur de l'Orient, son éloignement, son mystère, son prestige. Une autre vie, un autre rêve de la vie ! ». Mais à peine étaient-ils installés dans leur maison mauresque qu'éclatait la guerre franco-allemande. Comme beaucoup de

Garde du palais, huile sur toile, signée,
80 × 67 cm. Collection particulière.

leurs camarades, artistes, architectes, musiciens, poètes, ils s'engagèrent immédiatement, et combattaient côte à côte à la bataille de Buzenval, quand Regnault fut tué. Clairin resta à Paris jusqu'à la fin de la Commune, puis, malgré son chagrin et son découragement, retourna au Maroc où il séjourna un an et demi. Mariano Fortuny vint le voir à Tanger – Clairin organisa une fête arabe en son honneur – et ils firent ensemble une excursion à Tétouan. Pendant ce séjour, Clairin fit une autre escapade, cette fois à Fez, avec le ministre plénipotentiaire français, Charles Tissot. Bien que Benjamin-Constant fît partie de la mission Tissot, rien n'indique qu'il fût avec eux à Fez qui, à l'époque, en tant que ville sainte, n'était pas facile à visiter. Clairin était soigneusement protégé par quelque huit gardes marocains. Il était agacé de la lenteur du voyage, car Tissot, archéologue en même temps que diplomate, tenait à rechercher des vestiges romains. Obligé de fouiller, Clairin avait peu de temps pour dessiner, mais il put profiter des continuelles fantasias que leur offraient leurs hôtes, avec quatre à cinq cents cavaliers pétaradant et galopant autour d'eux. Rentré à Paris, Clairin fut invité par Charles Garnier à collaborer à la réalisation de l'Opéra de Paris, première des nombreuses décorations qu'il allait faire pour des châteaux, hôtels, théâtres et casinos. Ce long travail terminé, il reprit ses voyages : Italie, Espagne, Algérie et Égypte. Au cours de ce dernier voyage, en 1895, il visita la Haute-Égypte avec l'archéologue de Morgan et, bien qu'il ait cherché en vain des traces de l'expédition de Bonaparte, il fit par la suite plusieurs tableaux

représentant le général et ses soldats. Il loua une felouque avec son vieil ami Camille Saint-Saëns, le compositeur, qui porta pour le voyage un vêtement japonais et des babouches, éventail en main. Il partit ensuite pour le Sinaï avec de Morgan, mais, fiévreux, dut se faire ramener au Caire où il fut sauvé, bien que la ville fût alors consignée en raison du choléra.

Clairin, que tous ses amis appelaient Jojotte, partageait sa vie entre Paris et la Bretagne. Élégant, spirituel, aimable, il recevait dans son atelier les milieux du théâtre, de la littérature et de l'art. Admirateur fervent de Sarah Bernhardt, il séjournait souvent en Bretagne chez l'actrice, à Belle-Île. Les sujets traités par Clairin étaient extrêmement variés : fêtes vénitiennes, ballets de l'Opéra, fleurs, paysages, scènes de genre inspirées par ses voyages. Il peignit Sarah Bernhardt dans plusieurs de ses rôles et fit d'elle un portrait célèbre, aujourd'hui au Petit Palais, Paris, qui trônait dans sa grandiose demeure néo-gothique. Ses premières œuvres orientalistes étaient très proches de celles de Regnault, mais avec le temps, elles se firent plus fantastiques et mythiques. Des scènes de guerre, comme *Après la bataille, Les Conscrits* et *Le Carnage* sont violentes et théâtrales, et ses femmes Ouled-Naïls, bardées de bijoux et drapées dans des rouges et oranges lumineux, semblent des choristes d'opéra. Prodigieusement actif, il exposait au Salon des Artistes Français, au Salon des Peintres Orientalistes Français, à la Société Coloniale des Artistes Français et au Salon des Artistes Algériens et Orientalistes d'Alger.

Une Ouled Naïl, aquarelle et gouache,
32 × 25,5 cm. Collection particulière.

Adrien DAUZATS

Bordeaux 1804-Paris 1868
École française

« Le Couvent de Sainte-Catherine, mont Sinaï », huile sur toile, signée et datée 1845, 130 × 104 cm. Musée du Louvre, Paris.

Adrien Dauzats est l'un des premiers artistes qui peignirent l'Orient avec objectivité et une scrupuleuse exactitude. Malgré ce rôle de précurseur, son œuvre ne retint jamais le public comme le fit celle de Decamps. Élevé dans les coulisses d'un théâtre, à Bordeaux, dans lequel son père travaillait, il rêva d'être un peintre de décors. Comme son contemporain l'Écossais David Roberts, il garde de cette expérience l'amour de la perspective architecturale et des arrière-plans théâtraux dominant de petits groupes de personnages.

En 1828, Dauzats commença sa longue collaboration avec le baron Taylor, soldat, dramaturge, voyageur, archéologue et, sur sa fin, philanthrope. Après avoir entrepris l'illustration des *Voyages pittoresques et romantiques dans l'Ancienne France*, ambitieuse série d'albums de Taylor, il l'accompagna au Proche-Orient en mission officielle pour obtenir l'accord de Méhemet Ali au transport de l'obélisque de Louqsor en France. Ces six mois, d'avril à octobre 1830, déterminèrent l'éveil de sa vocation de peintre. Après un séjour au Caire et dans la vallée du Nil, il fit une excursion dans le Sinaï et fut particulièrement séduit par l'impressionnant décor du couvent de Sainte Catherine. Puis en juillet, voyage éclair à travers la Palestine et la Syrie qui les mène cette fois à Jaffa, Jérusalem, Jéricho, Saint-Jean-d'Acre, Damas, aux ruines de Palmyre et de Baalbek. Dauzats publia en 1839 le récit de ce voyage, *Quinze jours au Sinaï*, qu'il signa avec Alexandre Dumas père. La même année paraissait *La Syrie, l'Égypte, la Palestine et la Judée*, du baron Taylor. Les centaines de dessins que Dauzats fit au jour le jour, souvent à la hâte et dans des conditions difficiles, sont non seulement de précieux documents d'architecture, mais sont aussi pleins d'informations sur les hommes. Il en étudiait les visages, à la différence de nombreux orientalistes qui se contentèrent de noter les costumes, les armes et les détails folkloriques. Ces dessins furent la mine qu'il utilisa pendant des années pour réaliser ses œuvres abouties. Un voyage que Dauzats fit en Espagne avec Taylor attira sur lui l'attention du roi Louis-Philippe et de la famille royale. On vit en lui le chroniqueur idéal pour accompagner la démonstration militaire que devait diriger le duc d'Orléans, héritier du trône, expédition à la fois politique et militaire, qui prévoyait la pacification de la province de Constantine, en vue d'une occupation permanente. En 1839, Dauzats suivit le duc depuis Oran et Alger à Bougie, Stora, Philippeville et Sétif. Il assista à la soumission d'El Mokrany à Sétif, et accompagna la mission de 3 000 hommes qui traversa le massif du Djurdjura par les gorges de l'Oued Biban, dites les Portes de Fer. Nombre de ses dessins, représentant ces formidables parois rocheuses surplombant des militaires progressant à leur pied illustrèrent le fameux *Journal de l'Expédition des Portes de Fer* rédigé par Charles Nodier et remis en 1844 aux officiers qui avaient participé à la campagne. Ses splendides vues du défilé, à l'aquarelle et à l'huile, d'une force et d'une sévérité impressionnantes, sont dans les musées de Versailles et de Chantilly. Dès son premier salon, en

« L'Église du couvent de Sainte-Catherine au mont Sinaï », huile sur toile, signée, située et datée 1850, 65 × 49 cm. Musée et Galerie des Beaux-Arts, Bordeaux.

« Intérieur de la mosquée de Mourestan, au Caire », huile sur toile, 73 × 57 cm. Musée du Louvre, Paris.

1831, Dauzats fut très apprécié comme peintre de paysages et d'architecture. Mais après 1840, il fut de plus en plus pris par la lourde charge des œuvres philanthropiques du baron Taylor (l'Association des Artistes fut fondée en 1844), et ses nombreuses obligations professionnelles lui laissaient peu de temps pour son art. De santé délicate, il renonça aux grands voyages, mais hanté par le souvenir des pays qu'il avait visités, il continuait de peindre des sujets orientalistes. L'excès de détails, bien qu'exacts, joint à une certaine froideur dans l'exécution, rendent alors sa peinture quelque peu artificielle, privée de la spontanéité des débuts. Dauzats mourut oublié, sans avoir reçu de récompenses officielles, bien qu'il eût, comme homme et comme artiste, acquis le respect de contemporains tels que Victor Hugo, Prosper Mérimée, Théophile Gautier et Eugène Delacroix. Son bien le plus précieux, ses centaines de dessins et d'aquarelles délicates, notations de ses voyages, fut dispersé par lots à la vente de son atelier en 1869. Ce n'est que récemment qu'ils ont réapparu sur le marché. Ses huiles sont encore rares, et sa place dans l'histoire de l'Orientalisme, comme observateur exceptionnellement doué et objectif, vient seulement d'être reconnue.

« *Tombeau du sultan Kalaoun au
Moristan, Le Caire* », *huile sur panneau,
monogrammée et titrée, 65 × 48 cm.
Collection particulière.*

Alexandre-Gabriel DECAMPS

Paris 1803-Fontainebleau 1860
École française

*« Enfants turcs auprès d'une fontaine »,
huile sur toile, datée 1846, 100 × 74 cm.
Musée Condé, Chantilly.*

Au cours de sa carrière, Alexandre-Gabriel Decamps ne fit qu'un séjour d'un peu plus d'un an au Proche-Orient. Pourtant, son œuvre eut une énorme résonance et il fut, de son vivant, aussi célèbre que Delacroix. Comme beaucoup d'artistes, il peignit des sujets orientaux avant d'aller effectivement sur les lieux : villes et bâtiments imaginaires dès 1823, et personnages turcs en 1826 et 1827. L'Orient avait été mis à la mode par la guerre d'Indépendance de la Grèce, et quand Decamps se mit en route, au début de 1828, il était officiellement chargé d'une mission : réaliser un tableau commémorant la bataille de Navarin, qui avait eu lieu en octobre 1827. Il partit pour la Grèce sans grand enthousiasme, en compagnie d'Ambroise-Louis Garneray. Le travail en commun s'avérant bientôt impossible, Decamps continua vers l'Asie Mineure et s'installa dans un atelier de fortune à Smyrne (février 1828). Et là, il reporta les impressions recueillies durant la journée, sans le secours habituel de notations faites sur place au crayon ou à l'aquarelle.

A son retour à Paris, en 1829, Decamps publia un album de lithographies, mais c'est le Salon de 1831, où il exposa sept tableaux, qui le fit connaître. Nombre de ses œuvres ont pour thèmes des soldats turcs, des jeunes enfants aux amusantes têtes rondes jouant ou travaillant, des boutiquiers et bouchers à l'étroit dans leurs échoppes obscures. Ce sont aussi des paysages sombres ou, plus ambitieuses, des scènes bibliques. Il adopta bientôt une technique de lourds empâtements, très caractéristiques, où l'éclat des lumières jaillit des ombres brunes ou noires, à la manière de Rembrandt. Chez lui, la matière et la technique primaient le sujet. C'est en cela que Decamps a eu une réelle importance dans l'évolution de la peinture du dix-neuvième siècle, car c'est à travers lui que Diaz de la Peña saisit la valeur propre de la pâte et, après lui,

orientaliste, après Delacroix, il lui était préféré par la bourgeoisie, qui se méfiait un peu des Romantiques. Ses plus fervents adeptes étaient le baron d'Ivry, le duc d'Orléans et son jeune frère le duc d'Aumale (dont la collection constitue le musée Condé à Chantilly) ainsi que le marquis de Hertford. Ce très riche Anglais, qui vivait en reclus dans ses hôtels particuliers de Bagatelle et Paris, dépensait sa fortune à constituer une

Monticelli, Cézanne et Van Gogh. Cette conception fantaisiste et excessive de l'Orient qu'avait Decamps, ces bruns riches et épais, ces ocres et ces noirs contrastant violemment avec des lumières d'un blanc ivoirin furent longtemps admis, malgré leur inexactitude, comme une vision correcte et influencèrent des générations de peintres. Considéré comme l'un des chefs de la nouvelle école

« Cavalerie turque traversant un gué », crayon noir rehaussé de gouache, signé et daté 1848, 66 × 98 cm. Musée Condé, Chantilly.

collection qu'il légua à Sir Richard Wallace (l'actuelle Wallace Collection, à Londres).

Les œuvres de Decamps atteignirent des prix fantastiques, non seulement ses célèbres scènes turques, mais aussi ses scènes de chasse, ses chiens et ses singes drôlatiques. Mais, de l'éducation assez rustique que son père avait voulue pour lui, Decamps conservait un manque d'entregent et de savoir-faire, qualités absolument nécessaires alors pour obtenir les commandes officielles qu'il voyait confier à des confrères, en particulier pour ces grandes compositions historiques qu'il aurait tant aimé réaliser. Amer, déçu, il se retira à la campagne et détruisit ses notes de voyage, croquis et études. Revenant à Paris de cet exil volontaire, il connut encore un grand succès à l'Exposition Universelle de 1855, avec quelque soixante œuvres sur des thèmes variés. Peu après sa santé déclina ; il se retira en forêt de Fontainebleau et passa ses dernières années à refaire des compositions antérieures. Au cours du siège de Paris en 1871, la maison de sa veuve fut détruite, entraînant la perte de nombre de ses dernières œuvres. Ses travaux sont difficiles à dater, car son style n'évolua guère, et souvent plusieurs œuvres portent le même titre. C'est en raison de cette incapacité de renouveler son style que des critiques, très favorables au début, trouvèrent par la suite sa peinture moins intéressante.

Aujourd'hui même, il n'a pas rencontré la faveur qu'il avait de son vivant, mais son importance dans le mouvement orientaliste n'en est pas moins primordiale.

« Le Supplice des crochets », huile sur toile, signée et datée 1837, 91 × 137 cm. Wallace Collection, Londres.

Alfred DEHODENCQ

Paris 1822-Paris 1882
École française

*A*lfred Dehodencq se considérait comme le dernier des Romantiques. Mais en dépit de son goût pour le mouvement, le drame, la violence, le soin qu'il apportait à rendre chaque visage et la précision minutieuse de chaque personnage dans les scènes de foule le rangent parmi les réalistes du milieu du siècle.

Très jeune, il fut d'un tempérament chagrin, passionné, et considérait comme son dieu le romantique Chateaubriand. Après ses études auprès de Léon Cogniet à l'École des Beaux-Arts de Paris, il débuta dans des tableaux religieux et de genre. La révolution de 1848 et l'horreur qu'il éprouva à voir les morts étendus dans les rues le poussèrent à peindre *La Nuit du 23 février*. Ces événements, au cours desquels il fut blessé, lui donnèrent conscience de la puissance des masses soulevées de colère. Envoyé en convalescence dans les Pyrénées, il poussa jusqu'à Madrid où il fut marqué par l'œuvre de Velásquez et, plus encore, par Goya, dont il subit l'influence. Pendant son long séjour en Espagne, il peignit plusieurs huiles sur la vie espagnole qu'il montrait héroïque, optimiste, dévote et fanatique.

En 1853, Dehodencq eut la révélation du Maroc - Tanger, Tétouan, Mogador, Rabat, Salé. « J'ai cru en perdre la tête », s'écriait-il en découvrant ce pays auquel il allait s'attacher si passionnément. De 1854 à son retour en France en 1863, il passa son temps entre Cadix, avec sa femme, Espagnole, et ses enfants, et Tanger. Pendant ces neuf années d'Afrique du Nord, il fit sans arrêt des études, brillamment exécutées, tourbillons déchaînés qui rendent le mouvement de la vie grouillante des rues marocaines. Il se servait des études isolées de détails pour l'exécution soignée de ses compositions définitives. Dans nombre de celles-ci, des attitudes et des expressions outrées, avec le tic revenant souvent de personnages regardant fixement le spectateur, créent un aspect caricatural. Ses couleurs criardes et brutales, l'emploi massif du noir, répondent à la violence des sujets : *L'Exécution de la Juive, La Justice du Pacha* (musée Saliès, Bagnères-de-Bigorre), *Le Supplice des voleurs, Arrestation d'un Juif à Tanger* et *Bastonnade à la Kasbah.*

Dehodencq, comme Delacroix et

« La Sortie du pacha », huile sur toile,
signée, 117 × 89 cm. Collection
particulière.

Chassériau, eut largement recours à la population juive pour ses modèles, en particulier dans ses scènes d'intérieur, comme le *Concert juif chez le Caïd marocain, La Noce juive* (musée des Beaux-Arts, Alger) et *La Fête juive à Tanger* (musée de Poitiers).

Bien que les tableaux qu'il avait envoyés du Maroc au Salon de Paris fussent bien accueillis, Dehodencq ne parvint pas à exploiter ce succès. A son retour en France, il constata que sa longue absence l'avait mis en marge des mouvements artistiques de l'époque. Il continua à peindre des sujets orientalistes, mais même *Les Adieux de Boabdil* (musée d'Orsay, Paris), son émouvante composition sur le dernier roi de Grenade, fut reçue avec indifférence. Il se convertit à des thèmes plus populaires, peintures sentimentales d'enfants et scènes de genre à sujet, mais, pauvre et désespéré, il se suicida. Dehodencq n'eut pas grande influence sur ses contemporains. Il fut pourtant le premier artiste à consacrer au Maroc plus qu'une courte visite. En outre, ses dessins comptent parmi les plus remarquables du dix-neuvième siècle. Les premières personnes à redécouvrir et rassembler son œuvre furent Monsieur et Madame Alexandre Popoff, propriétaires d'une galerie à Paris. Leur collection fut ultérieurement dispersée en plusieurs enchères.

« *Le Conteur marocain* », *huile sur toile,
signée, 120 × 168 cm. Collection
particulière.*

Eugène DELACROIX

Charenton-Saint-Maurice 1798-Paris 1863
École française

*L*e court voyage qu'Eugène Delacroix fit au Maroc et à Alger est resté célèbre dans l'histoire de l'art du dix-neuvième siècle. D'une part, il révéla aux artistes français que l'Afrique du Nord présentait autant d'intérêt que le traditionnel pèlerinage en Italie, et d'autre part, il est à l'origine de quelques-uns des tableaux les plus passionnants qui aient jamais été peints.

« Turc fumant assis sur un divan », huile sur toile, signée, 24,8 × 30 cm. Musée du Louvre, Paris.

La mère de Delacroix, Victoria, était issue d'une famille de célèbres ébénistes, Œben et Riesener. Son mari, Charles Delacroix, avait occupé divers postes importants dans les gouvernements de la République, du Directoire et de l'Empire. Mais il est généralement admis maintenant que le vrai père d'Eugène Delacroix est Charles-Maurice de Talleyrand, génial diplomate et éminence grise des divers régimes. Après la mort de Charles, puis de Victoria Delacroix, Eugène, plutôt désargenté, alla vivre chez sa sœur, Madame de Verrinac, dont le mari avait été ambassadeur en Turquie. Formé, comme Théodore Géricault, dans l'atelier de Pierre-Narcisse Guérin à l'École des Beaux-Arts de Paris, Delacroix se trouva bientôt totalement voué à l'exécution de « grandes machines ». Quoique non conformiste, il était à la recherche de commandes de l'État et n'avait aucune réticence à travailler à ces allégories et sujets religieux qui étaient, à l'époque, les étapes vers la reconnaissance officielle. Pendant la Restauration, Delacroix commença à s'intéresser à des sujets exotiques qui lui étaient fournis par des livres de voyages, des récits et des comptes rendus d'événements au Proche-Orient. Delacroix parlait aussi avec les voyageurs, tel Jules-Robert Auguste, le fameux « Monsieur Auguste », peintre fortuné et collectionneur d'art oriental et de bibelots originaux qui avait fait de son domicile parisien un lieu de réunion pour les artistes et écrivains conquis récemment par le Proche-Orient. Présenté par Baudelaire comme un hymne terrifiant en l'honneur d'un destin tragique et de souffrances irrémédiables, le tableau *Les Massacres de Scio* (musée du Louvre, Paris) jeta Delacroix, bon gré mal gré, dans le mouvement romantique dont il devint le chef indiscutable, bien que réticent. Au Salon de 1827, il exposa *La Mort de Sardanapale* (musée du Louvre,

Louvre, Paris), *Mameluck à cheval* et *Combat du Giaour et du Pacha* (The Art Institute, Potter Palmer Collection, Chicago).

Grâce à ses relations dans les milieux officiels, Delacroix fut invité à faire partie de la suite du comte de Mornay, envoyé spécial de Louis-Philippe auprès du sultan du Maroc Moulay Abd-er-Rahman. La mission partit de Toulon pour Tanger, où elle débarqua le 25 janvier 1832.

Delacroix fut aussitôt frappé par la noblesse d'allure et de tenue dans toutes les classes du peuple

Paris), inspiré par la pièce de Byron. Ce tableau violent et criard, représentant un potentat assyrien allongé, impassible, parmi des corps se tordant de douleur, provoqua un vacarme. Vinrent ensuite d'autres tableaux orientalistes plus sages, comme *Turc au harnais* (musée du

Passage d'un gué au Maroc, huile sur toile, signée et datée 1858, 60 × 73 cm. Musée du Louvre, Paris.

marocain. C'était, pour lui, des personnages sortis vivants de l'histoire ancienne. « Rome n'est plus dans Rome, écrivit-il, l'Antique n'a rien de plus beau. » En outre, les couleurs frémissantes et la lumière éclatante le remuaient profondément et exaltaient l'emploi magistral qu'il faisait déjà d'une « palette brillante du contraste des couleurs ». Tout au long de son séjour marocain, il fit chaque jour des croquis au crayon ou à l'aquarelle, annotés, et qui constituent sept petits carnets,

Noir au turban, pastel. Musée du Louvre, Département des Arts Graphiques, Paris.

vendus à la vente de son atelier. L'un d'entre eux est maintenant au musée Condé, à Chantilly, et deux au Cabinet des Dessins du musée du Louvre, à Paris. Le quatrième carnet, vendu en juin 1983 aux enchères à Monte-Carlo, fut préempté par le Louvre. Ces croquis rapides, enlevés, devaient être pour Delacroix une source inépuisable de documentation pour les trente années à venir.

A cette époque, il était extrêmement difficile pour les artistes de faire des études de musulmans, bien que le vice-consul de France Jacques Delaporte ait invité certains notables au Consulat, pour y rencontrer Delacroix. Parmi les nombreux portraits que fit Delacroix, il en est un délicieux : la fille d'Abraham ben-Chimol, l'interprète juif de la mission. Offert, avec dix-sept autres aquarelles, par l'artiste au comte de Mornay, il fut, en 1877, vendu aux enchères à la mort de ce dernier. La mission partit de Tanger pour Meknès en mars 1832, avec cent vingt cavaliers, trente porteurs et quarante-deux mulets. Delacroix eut la possibilité de faire des croquis du sultan qui, après l'heureuse issue de négociations, offrit un lion, un tigre, une autruche, deux gazelles et quatre chevaux pour Louis-Philippe. Après une courte excursion en Espagne en attendant la signature officielle du traité, la mission quitta Tanger en juin et, après une escale à Oran, débarqua à Alger le 25 du même mois. Il semble que, pendant cet arrêt de trois jours, Delacroix réussit à obtenir une visite au harem du raïs du dey, d'où résulta un des plus célèbres tableaux orientalistes, *Femmes d'Alger dans leur appartement* (musée du Louvre, Paris).

Bien que Delacroix ait continué dans la voie des commandes officielles en même temps qu'il s'inspirait de Byron, Dante et Shakespeare, il restait hanté par son voyage en Afrique. Utilisant ses croquis et ses notes, il peignait les scènes qu'il avait pu voir : religieux fervents, fantasias, caïd marocain visitant une tribu, musiciens juifs de Mogador, le sultan du Maroc accompagné de sa garde. Souvent réalisés en plusieurs versions, ces sujets sont maintenant pour la plupart dans des musées d'Europe et d'Amérique du Nord. Au cours des années 1850, à mesure que ses souvenirs s'estompaient, les tableaux orientalistes de Delacroix se

on confia à ses amis l'inventaire de son atelier. Pierre Andrieu (proche collaborateur et *alter ego* de Delacroix) répertoria les études et tableaux inachevés, et le critique Philippe Burty classa les quelque six mille dessins, dont un grand nombre sont maintenant au Département des Arts Graphiques du musée du Louvre à Paris. En 1929, le peintre Maurice Denis fonda la Société des Amis d'Eugène Delacroix qui loua l'appartement et l'atelier de l'artiste, rue de Furstenberg à Paris.

faisaient de moins en moins réalistes. Traités avec une exubérance rubenesque, odalisques ou combats enragés, mêlées de lions, de chevaux et d'hommes, ils évoquaient un Orient imaginaire, exotique et somptueux.
Après sa mort en 1863 – il souffrait depuis 1842 de laryngite chronique –

« Femmes d'Alger dans leur appartement », huile sur toile, signée et datée 1834, 180 × 229 cm. Musée du Louvre, Paris.

Ludwig DEUTSCH

Vienne 1855-Paris 1935
École autrichienne

*Les Savants, huile sur panneau, signée et
datée Paris 1901, 64 × 49,5 cm. Anc.
Mathaf Gallery, Londres.*

*L*udwig Deutsch étudia à
l'Académie des Beaux-Arts de
Vienne avant de s'installer à Paris,
où il fut l'élève du peintre d'histoire
Jean-Paul Laurens. Il contribua à
l'illustration de diverses publications
et peignit des sujets historiques et
des scènes de genre, qu'il envoya au
Salon des Artistes Français à partir
de 1879. Après 1883, toutefois, ses
tableaux furent presque uniquement
des scènes de la vie quotidienne au
Caire, tels *Le Tombeau du Khalife*,
1884, *Danseurs nubiens*, 1886, *La
Jeune Favorite*, 1888, *El Azhar,
université arabe au Caire*, 1890,
Garde du palais, 1896, *Le Tribut*,
1897 et *Le Chef de la garde blanche*,
1904. On sait peu de choses de ses
voyages en Égypte, mais il semble
qu'il y allât nombre de fois ; des
œuvres datées 1886, 1890 et 1898
furent peintes au Caire. Dans des
couleurs riches, harmonieuses, les
architectures, vêtements, armures et
armes sont traités avec une précision
microscopique à couper le souffle.

Le Guérisseur, huile sur panneau, signée et datée 1891, 49 × 61 cm. Collection particulière.

En prière, huile sur panneau, signée et datée 1923, 56 × 44,5 cm. Anc. Mathaf Gallery, Londres.

Outre cette exceptionnelle habileté technique, Deutsch avait un don d'observation des attitudes et des expressions qui donnait à ses personnages vie et caractère. Ses maisons à Pigalle et dans le Midi avaient un décor mauresque, avec des moucharabiehs, des carreaux de céramique à motifs, des étoffes et des pièces en métal ciselé qui lui servaient probablement d'accessoires, ce qui était courant chez beaucoup d'artistes académiques de la fin du dix-neuvième siècle.

Avec la section autrichienne, il participa à l'Exposition Universelle de 1900 à Paris, et obtint une médaille d'or. En 1919, les catalogues du Salon le prénommèrent Louis, et non plus Ludwig, probablement à la suite de sa naturalisation.

Il peignait en général à l'huile, sur panneaux de bois, mais on lui connaît quelques aquarelles. En 1909, toutefois, il fit une toile de dimensions exceptionnelles, *La Procession du Mahmal au Caire*, traitée à la brosse très largement, à l'opposé de sa technique antérieure. Il réalisa d'autres œuvres dans ce style impressionniste tout en continuant à produire des tableaux fignolés qu'il envoya aux Artistes Français jusqu'en 1925. Bien que ses envois soient souvent reproduits dans les catalogues du Salon jusqu'en 1914, les critiques de l'époque l'ignorèrent presque totalement. Depuis une quinzaine d'années, il est par contre de plus en plus recherché par les collectionneurs.

« El Azhar, université arabe au Caire »,
huile sur toile, signée et datée Le Caire
1890, 164 × 230 cm. Collection
particulière.

Frank DILLON

Londres 1823-Londres 1909
École anglaise

La Maison du mufti cheik el Mahadi au Caire, huile sur toile, signée et située au verso, 50,8 × 40,6 cm. Anc. Mathaf Gallery, Londres.

Le père de Dillon était un négociant en soie qui collectionnait les aquarelles ; c'est sans aucun doute de lui que Frank tint son goût précoce pour ce genre. Il commença par étudier avec James Holland, peintre de paysages spécialisé dans les vues de Venise. Il suivit aussi des cours à la Royal Academy. Il passa la plus grande partie de sa vie à Londres, mis à part de fréquents voyages en Espagne, Norvège, Italie, Égypte et au Japon. Le premier voyage de Dillon en Égypte eut lieu, pense-t-on, en 1854-55 ; il y retourna plusieurs fois, en 1861-62, 1869-70 et 1873-74. Durant une visite ultérieure, il prit, avec quelques amis, des mesures pour modérer au Caire la destruction de monuments islamiques alors très délabrés et exécuta des séries d'aquarelles, en forme d'inventaire, de certaines anciennes demeures mameloukes. Il lutta aussi contre la construction du premier barrage d'Assouan qui devait entraîner la mort de Philae. Il exposa à la Royal Academy et dans des sociétés londoniennes, telles la British Institution, et prit part aux Expositions Universelles de 1862 et 1878 : au total, deux cent vingt et une œuvres présentées. Ses huiles furent en majorité des vues d'Égypte, telles *Les Colosses de Memnon*, *Le Sphinx à minuit*, *Bateliers du Nil faisant leur prière du soir* et *Le Nil près de la première cataracte*.

Loggia de la salle de réception d'été (la makad) chez le Mamelouk Radouane Bey au Caire, aquarelle, 30,2 × 45,1 cm. The Victoria and Albert Museum, Londres.

Étienne DINET

Paris 1861-Paris 1929
École française

« Sur les terrasses un jour de fête à Bou-Saâda », aquarelle, signée, 21 × 15,5 cm. Collection particulière.

*D*inet étudia à l'Académie Julian avec Tony Robert-Fleury et William Bouguereau, mais s'insurgea bientôt contre la technique léchée de ses professeurs. Ses premiers tableaux (il exposa pour la première fois au Salon en 1882) furent des portraits et des scènes religieuses. Mais le cours de sa vie changea quand, en 1884, il fut invité à visiter le désert algérien avec son camarade Lucien Simon, peintre lui aussi, et le frère de Simon, un entomologiste à la recherche d'un coléoptère rare. Ce voyage fut le point de départ d'une liaison amoureuse avec le pays et ses habitants qui dura jusqu'à sa mort. Ses premières œuvres algériennes furent surtout des études d'une vibrante luminosité, traitant la réverbération du soleil sur le sol, d'une façon quasi scientifique. Ce sont de petits paysages, sans personnages, comme *Les Terrasses de Laghouat* (musée d'Orsay, Paris), *L'Oued M'sila après l'orage* (musée des Beaux-Arts, Pau) et *Midi en juillet à Bou-Saâda*. Vers 1889, ses tableaux, comme *Charmeur de vipères* (Art Gallery of New South Wales, Sydney) et *Bataille autour d'un sou* ont des personnages qui sont en pied, vus à mi-distance, alors que, par la suite, il les rapprochera de l'œil, les coupant en bas ou sur le côté, selon la technique introduite par les Impressionnistes. A cette époque encore, il s'intéressait davantage à rendre la lumière intense qu'à dépeindre les émotions humaines, ce qui fut son fort plus tard. Ce n'est qu'en 1904 que Bou-Saâda devint sa seconde patrie. Jusqu'alors, Dinet avait partagé chacun de ses étés entre cette localité, Biskra et Laghouat. Là, il faisait des études de jeunes filles dansant et riant, de femmes richement vêtues et couvertes de bijoux de la très libre tribu des Ouled-Naïl, de jeunes garçons au crâne rasé se livrant à des espiègleries, et des différentes attitudes de la prière, sujet très important pour l'esprit religieux qu'était Dinet. Parlant couramment l'arabe, qu'il avait appris à Paris avec son ami l'Orientaliste Paul Leroy, Dinet pénétra plus avant dans la vie locale grâce à Sliman ben Ibrahim. Les deux hommes se rencontrèrent en 1889, et une amitié naquit entre eux pour toute leur vie. Ils visitèrent ensemble l'Égypte en 1897, mais en furent déçus. « C'est un pays qu'il faut voir en touriste ou en savant », écrivait Dinet à Léonce Bénédite. Il estimait que rien n'était comparable à la distinction et à la grâce des Algériens du Sud. Avec Sliman (et le miniaturiste et enlumineur algérien Mohammed Racim), Dinet publia une série de livres chez l'éditeur parisien Henri

Fillettes de Bou-Saâda dansant, gouache sur papier, signée, dédicacée et datée 1922, 25 × 31 cm. Collection particulière.

Piazza, achetés en souscription par les bibliophiles. Parurent *Antar* (1898), *le Printemps des Cœurs* (1902), *Mirages* (1906), *Le Désert* (1911), *Khadra* (1926) et *La Vie de Mohammed* (1918). Pour *Tableaux de la Vie Arabe* (1908), dans une édition plus ordinaire, les illustrations, en noir et blanc, furent tirées de peintures de Dinet. Il retournait à Paris chaque hiver, pour mettre au point les tableaux qu'il envoyait au Salon ou au marchand

« *Le Printemps des cœurs* », huile sur toile, signée et datée 1904, 94,5 × 83,5 cm Musée Saint-Denis, Reims.

Allard. Après la création de la Société Nationale des Beaux-Arts en 1890, il quitta les Artistes Français, mais contribua régulièrement aux Salons de la Société des Peintres Orientalistes Français, dont il était un membre important. Il participa aux Expositions Coloniales de 1906 et 1922, et prit une part active aux Salons d'Alger. Ses toiles avaient énormément de succès. Citons parmi les plus connues : *Abd el Gheram et Nour el Aïn, Esclave d'Amour et Lumière des Yeux* (musée d'Orsay, Paris), *Sidna Yousef et la femme de Kotphir* et *La Courtisane*. Mais toutes n'avaient pas pour sujet le jeu, l'amour et la prière. Certaines avaient des thèmes douloureux, deuil, maladie, emprisonnement, répudiation, conscription, d'autres violents, telle la sanglante *Vengeance des fils d'Antar*. Dinet ne fit jamais de réplique de ses œuvres, « parce que sa palette avait changé », mais son *Esclave d'Amour* a été souvent copiée par d'autres peintres.

Après la Première Guerre mondiale, sa technique se relâcha, avec des coloris acides, roses, turquoises, mauves et bleus. De nombreux tableaux, surtout de jeunes filles, trahissaient la complaisance et la facilité. Dinet était alors peu apprécié en France, où l'on jugeait son style trop académique, mais les Français d'Algérie continuaient à l'avoir en haute estime. Toutefois, son importance se situe au-delà de toutes considérations picturales. Il s'était converti à l'Islam en 1913, et la sincérité de sa conversion aiderait, pensait-il, « à la réalisation de l'entente franco-musulmane, question vitale pour l'avenir de l'Algérie ». Selon Ali Ali-Khodja, neveu de Mohammed Racim, Dinet approuvait la revendication de droits égaux pour les Algériens et cherchait à donner, dans ses peintures, une approche philosophique et morale de la civilisation algérienne et du mysticisme de l'Islam. En 1929, Dinet, Sliman ben Ibrahim et la femme de Sliman firent le pèlerinage de La Mecque. Le peintre, qui prit le nom de Hadj Nasr Ed Dine Dini, ne fit ni esquisses, ni photographies et se fia à sa mémoire pour faire les illustrations de son livre *Pèlerinage à la maison sacrée d'Allah* (1930).

Dinet mourut à la fin de 1929, sans avoir pu rentrer à Alger, où il avait une villa depuis 1924. Un service fut célébré à la mosquée de Paris, avant l'inhumation à Bou-Saâda, dans la kouba funéraire qu'il s'était fait construire. Le musée national Nasr Eddine Dinet fut inauguré dans cette même ville en 1993.

« Martyr d'amour », huile sur toile, signée, 73 × 97 cm. Collection particulière.

Rudolf ERNST

Vienne 1854-Paris 1932
École autrichienne

Homme assis sur un divan, aquarelle,
signée et située Paris, 55 × 45 cm. Anc.
Gallery Keops, Genève.

*R*udolf Ernst exposa pendant près de soixante ans au Salon des Artistes Français, mais – alors qu'il est maintenant très apprécié des collectionneurs – il était rarement cité par les critiques de l'époque bien que, après 1900, les catalogues des Salons reproduisent souvent ses œuvres. Son père, Leopold Ernst, peintre et architecte, était membre de l'Académie de Vienne. Rudolf y entra comme élève en 1869, puis partit à Rome, à vingt ans, pour poursuivre ses études. Il avait reçu la commande du retable de l'église des Favorites, à Vienne. Il voyagea en Espagne, au Maroc, en Turquie. En 1876, il se fixa à Paris, et demanda plus tard la nationalité française. Jusqu'en 1884, ses tableaux furent surtout des portraits et des scènes de genre – enfants charmants, et mousquetaires. Mais à partir de 1875, il ne fit presque plus que des tableaux orientalistes, à décors marocains, turcs ou hispano-mauresques. Ses thèmes favoris : gardes nubiens, intérieurs de mosquées, joueurs d'échecs et fumeurs de narghilés ou de chibouks, jeunes esclaves cajolées par leurs maîtres, femmes de harem brodant ou revêtant leurs beaux atours et, parfois, chasse au tigre. Vers 1900, il réalisa plusieurs tableaux de temples hindous, tels *L'Étang sacré* et *Le Temple souterrain.*

Après un voyage qu'il effectua à Constantinople vers 1890, il s'intéressa à la décoration des carreaux en faïence, technique qu'il avait apprise du céramiste et verrier parisien Léon Fargue. Ernst participa aux Expositions Universelles de 1889 et 1900, puis, vers 1905, quitta Paris pour Fontenay-aux-Roses, décorant sa maison avec des objets d'art islamique qui figurèrent si souvent dans ses tableaux.

Ernst, dans sa meilleure période, égale son compatriote Ludwig Deutsch dans son habileté à peindre les détails.

Repos des élèves d'une école coranique, huile sur panneau, signée, 45 × 55 cm. Anc. Gallery Keops, Genève.

Il réalisa des répliques un bon nombre de fois (probablement sur demande) telles *La Cueillette des roses* et *Intérieur de la mosquée Rostem Pacha, Constantinople*. Il eut des commandes de personnalités officielles en France, dont le maréchal de Mac-Mahon et le duc de Castries, ainsi qu'en Turquie, où il réalisa plusieurs portraits pendant son voyage.

Le musée des Beaux-Arts de Nantes possède cinq tableaux d'Ernst, donnés au musée après avoir été exposés à plusieurs reprises lors des manifestations annuelles de la Société des Amis des Arts de Nantes. Plusieurs musées américains présentent des œuvres d'Ernst, et il figure assez souvent dans des ventes à New York.

« *Après la prière* », huile sur panneau, signée, 51 × 63 cm. Anc. *Mathaf Gallery, Londres.*

La Favorite, huile sur panneau, signée,
65 × 53 cm. Anc. Gallery Keops, Genève.

Arthur
VON FERRARIS

Galkowitz 1856-Vienne vers 1936
École hongroise

*La Lecture du Coran, huile sur panneau,
signée et datée Cairo 1889, 63 × 47 cm.
Anc. Mathaf Gallery, Londres.*

*E*lève à Vienne du célèbre portraitiste Joseph Matthaus, Arthur von Ferraris vint à Paris pour étudier sous la direction de Jean-Léon Gérôme et de Jules Lefebvre. Il eut comme portraitiste un succès considérable à Paris, Budapest et Vienne, où de nombreuses personnes de la société mondaine posèrent devant lui. Il présenta des portraits, ainsi que des tableaux orientalistes peints dans la manière académique de Gérôme, au Salon des Artistes Français, dans les années 1880 et 1890. Au nombre de ces envois : *Fumeurs de narghilé* (1887), *A la mosquée El A'Hazar, Le Caire* (1890), *Un Descendant du prophète* (1891), *Bédouins chez l'armurier* (1893). Il participa aussi, dans la section hongroise, aux Expositions Universelles de Paris de 1889 et 1900. Son tableau de genre *MichMich, le Singe savant*, présenté au Salon en 1892, fut exposé à Budapest la même année et y remporta un grand succès. Dès 1894, l'artiste participa à de nombreuses expositions annuelles à Berlin, et entre 1904 et 1908, envoya des œuvres à Düsseldorf et Munich.

*Bazar au Caire, huile sur panneau, signée
et datée Paris 1890, 47 × 34,3 cm. Anc.
Mathaf Gallery, Londres.*

Eugène FLANDIN

Naples 1803-Paris 1876
École française

*La Conversation, huile sur panneau,
32 × 14,5 cm. Anc. Galerie Arlette
Gimaray, Paris.*

*E*ugène Flandin fut un voyageur et peintre très intéressant, dont l'œuvre, à part quelques aquarelles et gouaches, est assez rarement vue. Il naquit à Naples, où son père était en poste. Un an après ses débuts au Salon de Paris, avec deux vues de Venise, il accompagnait l'armée française dans sa campagne de 1837 en Algérie. Sa *Prise de Constantine*, exposée en 1839, fut achetée par Louis-Philippe, mais la toile fut détériorée par des projectiles pendant la Révolution de 1848. Son autre tableau au Salon de 1839, *Entrée de l'Armée française à Alger, 5.07.1830*, est aujourd'hui au musée de Versailles. En 1840, Flandin et l'architecte peintre Pascal Coste furent envoyés en mission en Perse par l'Institut. A cette époque, les grandes puissances occidentales essayaient de développer des liens politiques et économiques avec la Perse mais, depuis 1809, la France n'avait pas de représentation officielle à Téhéran. La mission, conduite par Édouard de Sercey, devait recueillir le maximum d'informations sur l'évolution du pays sous le règne de Mohammad Chah Qadjar, et aussi faire un inventaire complet de ses monuments, tant anciens que modernes. De Sercey, peu apte à saisir les subtilités de la politique persane, fut bientôt rappelé en France avec sa suite, laissant Flandin et Coste, malgré leurs réticences à rester seuls dans un pays à la fois dangereux et inhospitalier dès qu'on quittait les villes. Avec deux saïs, un domestique français, un cuisinier italien affreusement mauvais, des chevaux et des mulets, ils allèrent à Hamadan et Kirmanshah, puis dans des régions du sud-ouest très peu connues des voyageurs et dont la carte n'avait pas encore été dressée. Plus tard, ils abandonnèrent les charmes d'Ispahan pour Chiraz et Persépolis, à travers de vastes plaines arides. Après deux ans et demi de dur travail, ils regagnèrent la France par Mossoul, Alep et Constantinople. Le remarquable album sur la Perse de Flandin et Coste, en six volumes, fut finalement publié en 1851, ainsi que le compte rendu de voyage plus personnel de Flandin. Deux ans après, en 1853, Flandin exposa au Salon une toile importante, *Ispahan, entrée de la grande Mosquée sur la Place de Chah Abbas*. Il retourna au Moyen-Orient en 1844, cette fois en Mésopotamie. L'archéologue et diplomate français Paul Botta cherchait la cité disparue de Ninive,

plutôt pénibles à les dessiner. Ces dessins furent publiés en 1850 dans l'album *Monuments de Ninive*, mais alors que l'archéologue anglais Henry Layard avait pu prouver que c'était Kuyunjik, et non Khorsabad, qui était en fait le site de Ninive. Flandin continua à envoyer des toiles au Salon, *Vue prise à Tripoli de Syrie* (1857), maintenant au musée de Lille, *Intérieur de bazar à Téhéran* (1857) et *Le Cheikh-el-Islam, ou chef de la religion de Damas, revenant de La Mecque*. Il publia encore deux albums, *L'Orient* (1856), en quatre volumes, dont certaines planches ont donné lieu à des huiles, et *Histoire des chevaliers de Rhodes* (1864).

ancienne capitale de l'empire assyrien. Il avait abandonné le site de Kuyunjik pour celui de Khorsabad, où il avait dégagé quelques sculptures et bas-reliefs splendides. Flandin passa six mois

Aux abords de la Grande Mosquée, Constantinople, aquarelle, signée, 27 × 39 cm. Collection particulière.

Mariano
FORTUNY Y MARSAL

Reus 1838-Rome 1874
École espagnole

*P*armi les artistes du dix-neuvième siècle qui travaillèrent hors de leur pays, Mariano Fortuny y Marsal (souvent appelé à tort Fortuny y Carbo) est probablement celui qui eut le plus d'influence. D'une famille d'artisans de Reus, orphelin de bonne heure, il dut travailler pour aider sa famille. Il put toutefois suivre en même temps, à l'Académie des Beaux-Arts de Barcelone, les cours de Claudio Lorenzale, un fervent d'Overbeck nourri de classicisme allemand. En 1858, ayant eu le Prix de Rome, Fortuny se rendit en Italie. Sa première visite au Maroc date de 1860 : il y était envoyé par la ville de Barcelone, pour accompagner l'expédition militaire espagnole dirigée par le général Prim y Pratas, comte de Reus. Deux ans plus tard, il retournait au Maroc, chargé par la municipalité de Barcelone de réaliser un panneau commémorant la victoire espagnole de Tétouan, commande qu'il n'acheva jamais, le genre épique ne lui convenant pas. En revanche, il fit de nombreux dessins et aquarelles qu'il utilisa pour des œuvres ultérieures. Autre profit pour lui, la luminosité et les couleurs intenses de l'Afrique du Nord éclaircirent sa palette et le débarrassèrent du classicisme de sa

première manière. C'est pendant un séjour à Paris en 1866 que Fortuny se lia avec les peintres académiques français, notamment Jean-Léon Gérôme et Ernest Meissonier. Il s'engagea aussi avec l'influent marchand de tableaux parisiens Adolphe Goupil, engagement qui donnait à Goupil l'exclusivité sur la production de Fortuny et se révéla financièrement intéressant, mais que l'artiste ressentit plus tard comme un frein à son évolution. C'est pourtant à une exposition organisée par Goupil en 1870 que Fortuny dut son premier grand succès. Ce fut un événement, non seulement par ses tableaux orientalistes, mais aussi par ses élégantes fantaisies sur le rococo dix-huitième siècle et ses scènes de genre, dont la technique brillante et les couleurs puissantes marquèrent beaucoup les jeunes peintres. Au nombre de ses plus fervents admirateurs, Henri Regnault (« C'est notre maître à tous... ah ! Fortuny, tu m'empêches de dormir. ») et Georges Clairin, avec qui l'artiste catalan alla à Tanger et Tétouan en 1871. Fortuny avait un tempérament si sociable qu'il était toujours entouré de disciples et d'amis. A Paris, il avait un cercle de compatriotes ; à Rome, il était sollicité par les artistes, les voyageurs et les collectionneurs au point d'avoir à peine le temps de travailler. Collectionneur enthousiaste (comme ses amis intimes Gustave Doré et Édouard de Beaumont), il remplissait son atelier d'armes, de tissus, de tapisseries, de tapis, de bronzes, de faïences. Ses tableaux étaient si recherchés qu'il en faisait des répliques. Son plus important client fut William Hood Stewart, un Américain de Philadelphie dont le domicile

l'Exposition Universelle de Paris en 1878, le fait que l'œuvre de Fortuny restât en grande partie entre les mains d'un collectionneur privé eut pour conséquence d'empêcher le public européen de bien la connaître. La nouvelle de la mort de Fortuny, emporté par la fièvre à trente-six ans, frappa de stupeur les cercles artistiques d'Europe, car il était partout salué comme artiste, et l'objet de l'estime et de l'affection de ses confrères.

parisien était un havre pour les artistes espagnols. A la vente posthume de Stewart, en 1898 à New York, des œuvres allèrent à des collections publiques américaines, dont la *Fantasia arabe* et *Café des Hirondelles* (Walters Art Gallery, Baltimore). Bien que la collection de cet amateur ait été montrée lors de

« Fantasia arabe », huile sur toile, signée et datée Roma 1867, 52 × 67 cm. Walters Art Gallery, Baltimore.

Théodore FRÈRE

Paris 1814-Paris 1888
École française

Sur les hauteurs d'Alger, huile sur toile, signée, 41 × 32 ,5 cm. Collection particulière.

*T*héodore Frère est l'un des rares artistes français à avoir peint Jérusalem, Beyrouth, Palmyre et Damas, et il est regrettable que nous n'ayons pas une relation de ses voyages car, quoiqu'il fût très connu de son temps, aucune monographie ou long article n'a été écrit sur lui. Tout jeune homme, Frère montra un vif penchant pour la peinture, malgré l'espoir que son père nourrissait d'une carrière dans la musique. Il étudia avec les peintres de paysage et de portrait Jules Coignet et Camille Roqueplan, puis voyagea à travers la France (Normandie, Alsace, Auvergne). Il exposa pour la première fois, au Salon de 1834, une vue de Strasbourg. Un voyage en Algérie changea le cours de sa vie. Il exposa son premier tableau orientaliste au Salon de 1839 et, dès lors, il ne peignit plus que des scènes du monde musulman. Attiré par le soleil, Frère effectua un voyage d'un an en Algérie. Lors d'un second séjour, il visita la ville fortifiée de Constantine qui venait d'être prise par l'armée française. En 1851, il alla plus loin, séjournant dix-huit mois à Constantinople avec des arrêts en route à Malte, en Grèce, à Smyrne. Il poursuivit par la Syrie, la Palestine, l'Égypte et la Nubie, rentrant à Paris muni de notations pour de nouvelles œuvres et chargé d'objets d'art orientaux pour son domicile parisien. Frère, à qui le gouvernement égyptien avait conféré le titre de « bey », avait un atelier au Caire. Son dernier voyage en Égypte, probablement, s'effectua en compagnie de l'impératrice Eugénie,

*Campement aux abords de Jérusalem,
huile, signée et située Jérusalem. Anc.
Mathaf Gallery, Londres.*

invitée de marque aux manifestations pour l'inauguration du canal de Suez, en 1869. Il fit à cette occasion treize aquarelles amusantes, actuellement en dépôt au musée de la Marine, Paris. L'une montre l'assemblée officielle assise par terre pendant un dîner de gala, laquais en livrée et serviteurs égyptiens derrière eux, une autre, l'Impératrice et sa suite sur le dos de chameaux ou de bourricots et s'abritant sous des ombrelles doublées de vert et de bleu. Frère répéta cette scène à l'huile, œuvre qui fut exposée en 1978 à l'exposition *Eastern Encounters* organisée par The Fine Arts Society. D'autres œuvres sont dans des musées en France et aux États-Unis (Chicago, Minneapolis et le Metropolitan Museum à New York).

Frère participa aux Expositions Universelles de Paris de 1855, 1867

Aux portes de la ville, huile sur panneau, signée, 25,5 × 40,5 cm. Anc. Mathaf Gallery, Londres.

et 1878 et continua à envoyer des œuvres au Salon jusqu'en 1887 ; certaines, sur toile, étaient de dimensions considérables, mais beaucoup étaient peintes sur de petits panneaux de bois. Deux d'entre elles, *Philae* et *Campement bédouin*, appartinrent à la princesse Mathilde, protectrice des Arts et artiste elle-même.

Théophile Gautier, grand voyageur lui aussi, affirmait que l'exactitude de ses peintures révélait la longue familiarité de Frère avec ces pays « d'or, d'argent et d'azur ». D'autres critiques furent plus sévères, déplorant l'exagération de ses coloris. Il est certain que son succès encouragea nombre d'artistes mineurs à produire à la chaîne des images d'un Orient irréel sous des ciels d'un bleu invraisemblable. Mais l'apport de Frère dans le mouvement orientaliste fut son talent à créer une atmosphère... la pâle lumière jaune de l'aube derrière des tentes de bédouins, la vision fugitive de minarets lointains tremblotant dans une brume de chaleur, des chameaux avançant avec circonspection sur un sol cuit et craquelé. Frère, cependant, ne s'intéressait pas aux caractères ethniques ou individuels ; ses personnages ne sont jamais individualisés. Bien que ses œuvres donnent l'impression d'être fouillées, leur effet résulte d'un usage habile de teintes plates aux contours nets.

Un Marché aux environs du Caire, huile sur toile, signée, 37 × 61 cm. Anc. Mathaf Gallery, Londres.

Eugène FROMENTIN

La Rochelle 1820-Saint-Maurice 1876
École française

Arabes attaqués par un lion, huile sur toile, signée et numérotée, 109,5 × 73 cm. Collection particulière.

*A*lors que les notes de voyage de cet homme fin et cultivé livrent l'émotion première ressentie à ce qu'il voyait, dans ses peintures, il ennoblissait, idéalisait et embellissait la réalité. « En passant par le souvenir, écrivait-il, la vérité devient un poème, le paysage un tableau. » Il naquit dans une famille bourgeoise de province, d'hommes de loi et de magistrats. Son père, Fromentin-Dupeux, médecin brillant, s'intéressait plus à sa profession qu'à ses deux fils, et sa mère se cantonnait dans ses tâches pieuses. Cette vie monotone de La Rochelle, une précoce et malheureuse histoire d'amour, un manque de confiance en soi dû au comportement froid et autoritaire de son père, firent de lui un être renfermé et rêveur. Élève brillant, il vint à Paris en 1839, y passa un diplôme de droit, sans oublier toutefois la littérature, la poésie, l'histoire, la nature et l'art. Jugeant la pratique du droit insupportable, il décida de se mettre sérieusement à la peinture, et, bien que subissant au début l'influence de son maître, le peintre de paysages Nicolas-Louis Cabat, ses artistes préférés de beaucoup étaient

Delacroix, Decamps et Marilhat. Ils éveillèrent en lui – particulièrement l'envoi de Marilhat au Salon de 1844 – l'intérêt pour l'Orient. Fromentin fit son premier voyage en Algérie en 1846, rien qu'une rapide excursion d'Alger à Blidah, avec ses jasmins, ses roses, ses olivettes et ses orangeraies. Étonné de découvrir combien tout ceci était différent de l'Orient décrit par ses prédécesseurs, il comprit bientôt qu'il pouvait rendre l'Algérie d'une façon qui n'avait jamais été tentée auparavant. Il revint en 1847 pour huit mois, allant cette fois à Constantine et à Biskra, aux confins du Sahara. Il fit un troisième voyage en 1852, avec sa jeune épouse, séjournant presque un an à Mustapha et à Blidah, avant de partir, seul, dans le Sud jusqu'à Laghouat. Ce dernier séjour ne devait jamais quitter sa mémoire. Il en ramena une masse d'études, peintures et dessins, dont beaucoup furent mis aux enchères à sa vente d'atelier. Il constata que, tant au Sahel, verdoyant et nuageux, qu'au Sahara, calciné et austère, la lumière, loin d'être aveuglante et bien qu'intense, voilait tout de gris. Quant à l'ombre, elle était transparente, limpide et colorée, et non pas sombre ou noire, comme on la rendait généralement. En 1856, il publia, rassemblées en un livre sous le titre *Un Été dans le Sahara*, ses découvertes intéressantes avec ses

« Arabes chassant au faucon (Sahara) »,
huile sur toile, signée et datée 1865,
99 × 142 cm. Musée Condé, Chantilly.

Égyptiennes devant la porte d'une habitation, huile sur toile, signée, 140 × 120 cm. Anc. collection Meissirel Fine Art, Paris.

notes de voyage illustrées. Deux ans plus tard, ce fut *Une Année dans le Sahel*. Ces deux ouvrages, ainsi que son roman *Dominique* et un ouvrage classique de critique d'art, *Les Maîtres d'autrefois*, établirent sa réputation d'homme de lettres. Les tableaux de Fromentin sur la vie des tribus nomades, en particulier ses cavaliers dans de vastes espaces, évoluèrent aux environs de 1861. Les sujets restèrent les mêmes, élégants chevaux pur sang, fantasias, chasseurs au faucon, chasseurs de gazelle ; mais, fortement influencé par Camille Corot, il créa de nouvelles harmonies de couleurs subtiles, touchant à la monochromie. Il fit en 1868 une tentative vers des sujets plus nobles, mythologiques, avec des centaures, mais ce fut un échec. En 1869, il fut invité officiellement à l'ouverture du canal de Suez, et saisit cette occasion pour discuter avec Narcisse Berchère de la difficulté de rendre les scènes grandioses, comme le coucher de soleil derrière les pyramides. Ce voyage en Égypte nous valut quelques-unes de ses meilleures œuvres, quoique relativement peu connues. Alors qu'il était lui-même, par tempérament, peu satisfait de son œuvre, Fromentin eut un grand succès chez les collectionneurs tant américains que français. La demande était telle qu'il fit souvent des répliques de ses œuvres ; ainsi, son tableau le plus célèbre, *La Chasse au faucon* (Salon de 1873, musée du Louvre, Paris), fut repris au crayon, à l'aquarelle et à l'huile. Il n'eut jamais un atelier d'enseignement, mais prodiguait conseils et encouragements aux jeunes artistes : Fernand Cormon, Henri Gervex, Ferdinand Humbert et Léon Lhermitte, par exemple, en bénéficièrent. Son thème des groupes de chevaux dans de grands espaces libres devait être repris par d'autres peintres, Adolphe Schreyer, Georges Washington, Victor Huguet et, plus tard, Henri Rousseau.

Rencontre de chefs arabes, huile sur panneau, signée et datée '74, 64 × 82 cm. Anc. collection Meissirel Fine Art, Paris.

Jean-Léon GÉRÔME

Vesoul 1824-Paris 1904
École française

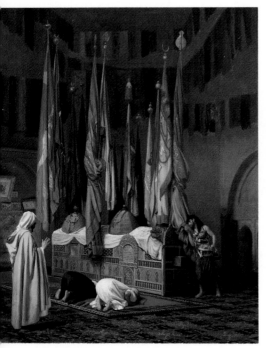

Le Tombeau du sultan, huile sur toile, signée, 65 × 54 cm. Anc. The Fine Art Society, Londres.

*E*nfant chéri du mouvement orientaliste et « lion » des cercles artistiques internationaux, Jean-Léon Gérôme fut, pendant la deuxième moitié du dix-neuvième siècle, l'un des peintres les plus célèbres dans le monde.

Fils d'un important orfèvre, il fit ses études au collège de Vesoul, sa ville natale : latin, grec et histoire. Il s'inscrivit à l'École des Beaux-Arts de Paris dans l'atelier de Paul Delaroche dont il acquit, vraisemblablement, cet amour de la précision historique qui le rendit célèbre. Après la fermeture de l'atelier, conséquence de l'issue tragique d'une plaisanterie stupide qui tourna mal, Gérôme alla un an en Italie, puis rentra à Paris continuer ses études chez Charles Gleyre. Il n'y resta que trois mois, mais ce fut assez pour qu'il fût marqué par l'enseignement du peintre suisse (encore qu'il rechignât toujours à admettre sa dette). Le succès de sa première toile exposée au Salon, en 1847, *Combat de coqs* (musée d'Orsay, Paris), encouragea Gérôme et plusieurs de ses camarades à réaliser d'autres œuvres dans la même veine. Salués comme les Néo-Grecs ou les Pompéïstes, ils donnaient de l'Antiquité une image piquante, sensuelle et légère, au lieu du sérieux de l'histoire ancienne traditionnelle.

Alors que les camarades de Gérôme – Hamon, Boulanger, Picou et Aubert – se tinrent à ce style néo-grec frivole leur vie durant, Gérôme évolua vers une conception plus sérieuse, d'un réalisme incroyable, et d'un caractère commercial moins évident. Il débuta dans sa carrière de peintre ethnographique avec une petite œuvre accrochée à l'Exposition Universelle de 1855 à côté de son immense toile néo-classique *L'Age d'Auguste* (musée de Picardie, Amiens). Les soldats et gardes de ce petit tableau, *Récréation au camp, souvenir de Moldavie*, avaient été croqués en 1853, au cours d'un voyage dans les Balkans. Peint avec réalisme et sincérité, son originalité résidait dans sa composition inattendue et inhabituelle (ce qui fut toujours un des points forts de Gérôme). En 1856, il se rendit en Égypte : quatre mois de navigation sur le Nil avec des amis, puis quatre mois au Caire dans une maison prêtée par Soliman Pacha. Pendant les quelques années qui suivirent, il envoya au Salon nombre de scènes de la vie égyptienne en même temps que des sujets néo-grecs, tout en s'orientant progressivement vers des thèmes du dix-septième siècle, des événements de l'histoire récente et des scènes de genre contemporaines.

Vers le milieu des années 1860, Gérôme, alors membre de l'Institut, était apprécié et vivait largement. Il

Quittant la mosquée, huile sur toile, signée, 54,5 × 78,7 cm. Anc. The Fine Art Society, Londres.

ne recherchait plus les commandes qui lui avaient été si précieuses au début de sa carrière. Il considéra même comme une véritable corvée d'achever l'exécution de son dernier ouvrage officiel, si minutieux et chargé, *Audience des ambassadeurs de Siam à Fontainebleau* (musée national du château, Versailles).

Il avait d'ailleurs une clientèle toute trouvée après son mariage avec Marie Goupil, fille de l'influent marchand de tableaux Adolphe Goupil. Non seulement les collectionneurs – pour la plupart

Marchand de peaux, Le Caire ou Le Brocanteur de gloire, huile sur toile, signée, 61,5 × 50 cm. Anc. The Fine Art Society, Londres.

américains – suivaient aveuglément les conseils de Goupil pour acheter les artistes académiques contemporains, mais de plus, Gérôme tirait gros avantage des photogravures et photographies de ses œuvres que Goupil envoyait dans le monde entier. En 1864, Gérôme fut invité par le gouvernement français à être l'un des professeurs des nouveaux ateliers ouverts à l'École des Beaux-Arts de Paris, en vue de donner un nouveau souffle à cette institution déclinante. Il assura cette fonction avez zèle et honnêteté pendant près de quarante ans et fut sans aucun doute loyal et généreux envers ses élèves. Il avait une excellente réputation de professeur, et de jeunes artistes – environ deux mille – vinrent de partout dans le monde pour étudier avec lui. Beaucoup allaient devenir orientalistes : Albert Aublet, Eugène Girardet, Jean Lecomte du Nouÿ, Auguste-Émile Pinchart, Henri Rousseau, le Grec Théodore Ralli, les Turcs Hamdy Bey et Khalil Bey, le Russe Vassili Veretschagin et les Américains Frederick Arthur Bridgman et Edwin Lord Weeks. Il leur conseillait de voyager, car les pantouflards deviennent, disait-il, « formulards » et « routiniers », et lui-même se plut à visiter différents pays : Turquie, Égypte, Palestine, Grèce, Espagne, Italie.

Au retour d'un safari en 1868 (raconté par son compagnon de voyage Paul Lenoir dans *Le Fayoum, Sinaï et Petra* (1872), l'artiste en général impeccable était pratiquement méconnaissable avec « son teint hâlé, sa longue barbe de bédouin, ses vêtements usés où figurait un pantalon de Lenoir raccourci tant bien que mal ». Selon Gerald Ackerman, qui a fait sur Gérôme un travail de recherche titanesque, environ deux cent cinquante des quelque six cents œuvres qu'il termina ont un sujet orientaliste. Gérôme s'intéressa particulièrement au Caire et à Constantinople, en tant que villes musulmanes modernes. Certains thèmes reviennent sans cesse, avec des variantes dans la composition : hommes de garde devant une porte monumentale, Arnautes (soldats albanais de l'armée ottomane) en vastes jupes blanches, bachibouzouks (mercenaires célèbres pour leurs brigandages et leur brutalité), femmes nues sur des marchés d'esclaves ou dans des hammams, scènes de prière en privé ou publiques. Rentrant de voyage, Gérôme se mettait rapidement au travail avec une facilité et une adresse surprenantes. Il employait des modèles parisiens, ainsi que des accessoires et des costumes, dont son salon, de style oriental, était plein. Le nombre et la diversité des tableaux de Gérôme, d'une qualité si indiscutable, sont tels qu'il semble impossible qu'un seul homme ait peint autant, et il est plus que certain que, de temps à autre, il était secondé par des collaborateurs.

« L'Arabe et son coursier », huile sur toile, signée, 59,7 × 99 cm. Anc. The Fine Art Society, Londres.

La chute de popularité de Gérôme commença de son vivant. Hostile aux Impressionnistes – et bien naturellement, puisque leur peinture subjective était diamétralement opposée à ses propres conceptions de soin et de travail – il se trouva mêlé à des escarmouches politiques et fut considéré comme une vieille baderne. Quand il mourut, en 1904, il fut, selon les termes de Gerald Ackerman, « enterré dans l'estime officielle, l'indifférence du public, l'acrimonie de la critique ». Il avait voulu laisser une partie de ses collections à sa ville natale de Vesoul, mais le don avait été refusé pour manque de place.

Victime d'un préjugé profondément enraciné, Gérôme devint pratiquement inconnu dans son propre pays. Ce n'est qu'en 1981 qu'on lui accorda une rétrospective officielle en France.

« L'Allumeuse de narguilé », huile sur toile, signée, 54,6 × 66 cm. Collection particulière.

A droite : *Arabe et ses chiens, huile sur toile, signée, 55 × 37,5 cm. Collection particulière.*

Albert GIRARD

Paris 1839-Paris 1920
École française

*E*lève à l'Ecole des Beaux-Arts de Paris, il remporta le Premier Grand Prix de Rome en 1861 pour son œuvre *Marche de Silène*. Pendant une vingtaine d'années, il exposa au Salon des vues de la Normandie, des bords de Loire et de la campagne italienne, dont certaines sont conservées aux musées de Mulhouse, La Roche-sur-Yon, Montauban et Montpellier. Ses tableaux algériens montrent souvent la vie quotidienne en Kabylie et à Alger, mais aussi des scènes telles *Le Sacrifice des poulets à Bab-el-Oued (province d'Alger)* (1875) et *Chasseurs arabes dans les montagnes de Blidah* (1883). Girard s'intéressait également à des fêtes algéroises où se produisaient des musiciens et danseurs noirs.

Fête à Alger, huile sur toile, signée,
51 × 71 cm. Anc. Mathaf Gallery, Londres.

Eugène GIRARDET

Paris 1853-Paris 1907
École franco-suisse

Porte ouverte sur Bou-Saâda, huile sur toile, signée, 59 × 45,5 cm. Collection particulière.

A droite : La Prière, huile sur toile, signée 54 × 40 cm. Collection particulière.

*E*ugène Girardet appartenait à une famille suisse huguenote qui comptait des artistes depuis le dix-huitième siècle. Ses oncles Karl et Édouard Girardet, peintres, avaient visité l'Égypte ; son père, Paul, avait gravé des épisodes de la guerre en Algérie d'après des peintures d'Horace Vernet, et ses quatre frères furent peintres et graveurs.
Lui-même, quelque peu enfant prodige, vendait déjà des dessins à dix-sept ans. Il étudia avec Jean-Léon Gérôme, qui l'incita à visiter l'Orient – alors qu'il avait déjà la fièvre des voyages par les récits de ses oncles. Il partit en 1874, par l'Espagne, pour le Maroc. Puis, il voyagea en Tunisie et en Algérie. Son premier contact avec le monde musulman l'enthousiasma, et dès cet instant, il peignit des tableaux orientalistes. Il retourna plusieurs fois en Afrique du Nord au cours des années 1870, dont une visite de la Tunisie en 1877. Mais il était particulièrement attiré par l'Algérie qu'il parcourut à diverses reprises, pas seulement pour rassembler des études et travailler à son retour, mais pour jouir du paysage, observer et se mêler à la vie. Il fit quelques séjours à Alger et à Boghari, mais surtout à El-Kantara et à Bou-Saâda, où il rencontra Étienne Dinet, dont l'oasis allait devenir la seconde patrie. A l'exemple de Gustave Guillaumet, connu comme le Millet de l'Afrique du Nord, Girardet peignait des scènes de la vie courante : troupeaux de chèvres gambadant dans la poussière, petits bourricots écrasés sous leurs charges trottant entre les parois rouge feu des gorges d'El-Kantara, femmes foulant leur linge dans l'oued bordé de lauriers-roses. En 1898, Girardet visita l'Égypte et la Palestine. En Terre Sainte, il

peignit la tombe d'Absalon dans les figuiers et les mimosas, ainsi que l'impressionnante cérémonie dans le sanctuaire du Saint-Sépulcre à Jérusalem. Il peignit deux versions de cette scène, *Le Feu sacré au Saint-Sépulcre*, avec les pèlerins pressés en foule dans la basilique à la lumière orange et jaune de torches.

Girardet exposait ses œuvres, qui se trouvent maintenant dans les musées français et suisses, à Munich et Berlin et à divers Salons de Paris : la Société des Artistes Français, la Société Nationale des Beaux-Arts et la Société des Peintres Orientalistes Français. Il participa aussi à l'Exposition Coloniale de Marseille de 1906.

Gustave GUILLAUMET

Paris 1840-Paris 1887
École française

« Aïn Kerma (source du figuier) ; Smala de Tiaret, en Algérie », huile sur toile, signée et datée 1867, 142 × 104 cm. Musée des Beaux-Arts, Pau.

*G*ustave Guillaumet appartenait à la génération des peintres naturalistes qui s'attachaient aux problèmes de lumière et d'atmosphère et, c'est là son importance, il marqua un tournant dans l'Orientalisme du dix-neuvième siècle. Ses descriptions, par la plume ou le pinceau, de la vie primitive et rude dans le désert algérien vinrent alors que naissait en France un grand intérêt pour les populations algériennes, dû au fait que des liens politiques et économiques se tissaient entre les deux pays. L'Algérie était pour la France terre française comme ses provinces, et non plus terre étrangère et exotique.

Guillaumet venait d'obtenir le second Prix de Rome à l'École des Beaux-Arts de Paris quand l'occasion s'offrit à lui d'aller en Algérie, en 1862. La visite commença mal, car il attrapa la malaria, dont il ne se débarrassa jamais complètement, et il dut passer trois mois à l'hôpital militaire de Biskra. Mais il fut si enthousiasmé par le pays qu'il y retourna neuf fois. Pendant les années 1860, ses envois au Salon étaient d'inspiration mélodramatique : *La Prière du soir dans le Sahara, Razzia dans le Djebel-Nador, Labours sur la frontière du Maroc* et la lugubre *Famine*. Son envoi au Salon de 1872, *Les Femmes du douar à la frontière du Maroc*, qu'il reprit à l'huile, au pastel et au crayon, marque une nouvelle orientation dans son œuvre. A partir de ce moment, il montra l'existence triste, monotone et misérable des populations du désert dont il partageait la vie, tantôt sous leurs tentes de laine noire, tantôt dans les rudimentaires maisons de pisé jaune des bourgades sahariennes. Il circula de Mascara et Oran à la Kabylie, mais préférait éviter la contamination de la civilisation européenne, allant dans le Sud à Bou-Saâda, Biskra, El-Kantara et Laghouat, un des postes les plus avancés dans le Sud. Il fit quantité de dessins et pastels de femmes tirant de l'eau dans l'oued, de cavaliers, chameaux, moutons et chiens sauvages (il en ramena trois réverbération, le rouge lumineux des vêtements des femmes contrastant avec le brun sombre et l'ocre des murs de pisé. Comme Fromentin, Guillaumet fut homme de lettres autant que peintre. Ses *Tableaux algériens* (1888), recueil d'articles parus dans *La Nouvelle Revue* entre 1879 et 1884, sont d'intéressantes notations sur l'attitude d'un artiste européen face à la vie des Algériens.

chez lui, en France). Il mit au point, pour ces sujets de plein air, une technique à petites touches isolées de pâte pauvre qui affirmait les contours. A la vente d'atelier de 1888, quatre cent quarante-neuf œuvres, huiles, pastels et études, furent vendues ; en 1897, cent dix-sept autres. Vers la fin de sa courte carrière, il peignit des femmes filant et tissant dans leurs intérieurs sahariens. Les profondes ombres transparentes dans les angles sont curieusement éclairées par

« Un Marché arabe en Algérie », huile sur toile, signée avec les initiales, 63,5 × 96,5 cm. Collection particulière.

Carl HAAG

Erlangen 1820-Oberwesel 1915
École allemande

Musiciens ambulants du Caire, aquarelle, signée, 51 × 35,5 cm. Anc. Mathaf Gallery, Londres.

*C*arl Haag, bien que né en Bavière, contribua par des caractéristiques nouvelles et originales à l'évolution technique de l'aquarelle anglaise. Avec sa grosse voix joviale et son accent allemand, il était un élément marquant de tous les vernissages à Londres.

Il étudia aux académies de Nuremberg et Munich, où il fut connu pour ses miniatures. En 1846, il quitta l'Allemagne pour découvrir le monde. Après un séjour en Belgique, où il eut beaucoup de commandes de portraits, il arriva en Angleterre l'année suivante. La raison principale de cette visite était l'étude approfondie de la technique de l'aquarelle, encore peu connue sur le continent, et dont les Anglais étaient spécialistes. Après avoir examiné toutes les possibilités, il adopta les couleurs minérales en raison de leur stabilité, et élabora sa propre technique : application de couleurs pures en superposition de lavis, pointillés de la pointe du pinceau, puis grattage de la couleur pour obtenir les clairs. C'est durant sa convalescence, après un accident d'arme à feu qui lui mutila une main, qu'il mit au point une autre méthode originale, consistant à enlever l'excès de couleur, mise intentionnellement en valeur trop forte, jusqu'à obtenir les tons souhaités. La virtuosité de Haag était telle qu'il fut très rapidement élu membre de la

Old Watercolour Society, malgré sa nationalité étrangère. Mais c'est sa nationalité, tout autant que sa compétence, qui le fit remarquer du prince consort Albert, allemand de naissance. Il fut invité à se rendre à Balmoral, la résidence écossaise de la reine Victoria, qui lui demanda d'y peindre deux tableaux.

En 1858, Haag fit un court voyage au Caire, en Grèce et en Turquie, et revint en Égypte en novembre. Au Caire, il partagea avec Frederick Goodall une maison dans le quartier copte, et tous deux firent des excursions dans le désert où ils réalisèrent des esquisses. Ils recevaient les artistes et touristes de passage, et leur hospitalité devint célèbre. Tout voyageur qui se respectait se devait d'aller visiter Jérusalem et la Terre Sainte. Haag ne fit pas exception, et s'y rendit au moment des célébrations de Pâques 1859. Le sultan Abdul Madjid lui avait remis, à la demande de la reine Victoria, un firman l'autorisant à peindre les lieux sacrés du Dôme du Rocher, souvent appelé à tort la mosquée d'Omar. Le Haram al Sharif de Jérusalem, lieu saint vénéré, avec ceux de Médine et de La Mecque, par les Musulmans, n'avait été que rarement peint auparavant. Il eut aussi l'occasion de faire une étude d'un groupe de croyants dans le maigre éclairage de la grotte du Rocher, aquarelle qui fut

Madrassah d'al-Ghouri, Le Caire, aquarelle, signée, 49,× 34,3 cm. Anc. Mathaf Gallery, Londres.

plus tard gravée. Haag demeura à Jérusalem jusqu'en juin, puis se rendit en Samarie, en Galilée, à Damas et Palmyre, étudiant la vie et les types des tribus du désert et réalisant quantité d'aquarelles. Après un second hiver au Caire, Haag rentra en Angleterre en 1860, et partagea alors son temps entre sa résidence de Londres et son atelier d'Oberwesel, sur le Rhin. Après son mariage, il s'installa dans le nord de

Amer, le Bédouin ; étude de tête en plein soleil, aquarelle et gouache, titrée, signée et datée 1874, 35,8 × 25,7 cm. Anc. The Fine Art Society, Londres.

Londres et décora son atelier dans le style égyptien. Célèbre alors pour ses tableaux orientalistes, qui atteignaient des prix exceptionnellement élevés, il retourna en Égypte en 1873 pour renouveler sa documentation. Il y reçut l'hospitalité du khédive, grâce à une introduction du prince de Galles. Une exposition de plus de quatre-vingts de ses œuvres fut organisée en 1876 au German Athenaeum, à Londres, et son tableau *Danger dans le désert*, qui avait obtenu une médaille à Vienne en 1873, fut présenté à l'Exposition Universelle de Paris de 1878. Nommé peintre de la cour du duc de Saxe-Cobourg et Gotha, il recueillit récompenses et honneurs. On peut voir ses œuvres dans les musées de Blackburn, Bristol, Manchester, Londres (au Victoria and Albert Museum) et au château de Windsor.

Naufrage dans le désert, aquarelle sur papier et sur crayon, signée et datée 1886, 79,4 × 136 cm. Collection particulière.

Victor
HUGUET

Le Lude 1835-Paris 1902
École française

Cavaliers devant une mosquée, huile sur toile, signée, 46 × 38 cm. Anc. collection Alain Lesieutre, Paris.

Victor Huguet étudia avec Émile Loubon à Marseille, puis avec Eugène Fromentin à Paris. Bien que Fromentin n'ait jamais eu un atelier d'enseignement à proprement parler, il réunissait quelques jeunes artistes autour de lui, et les premiers travaux de Huguet montrent une certaine influence du maître orientaliste dans le choix des sujets et la palette sobre. Huguet alla en Égypte en 1852, et, en 1853, il accompagna le peintre de marine J.B.H. Durand-Brager en Crimée. Débutant aux Salons de Marseille et Paris en 1859, il exposa régulièrement aux Artistes Français avec des œuvres telles que *Halte de bicharis dans le désert de Libye* (1861), *Halte sur les murs à Constantine (*1865) et *Dans les douars du sud de l'Algérie* (1877). Il exposa trois tableaux, dont l'un appartenait au marchand Durand-Ruel, au premier Salon de la Société des Peintres Orientalistes Français, qui fut organisé en même temps qu'une exposition d'art musulman au Palais de l'Industrie à Paris, en 1893. Il continua à envoyer des œuvres à ce Salon pendant les années 1890. Les toiles de Huguet se situaient en général en Algérie, Libye, Égypte ou, parfois, à Constantinople. Il excellait dans les chevaux, et ses tableaux de campements, de chasses au faucon, de cavaliers abreuvant leurs montures, traversant des oueds ou arrêtés devant des portes monumentales connurent très tôt la faveur des collectionneurs. Bien que ses œuvres ne soient pratiquement jamais datées, sa technique devint, au fil des années, plus impressionniste, et ses couleurs se firent plus lumineuses et plus riches, avec des harmonies d'ocres, de roses, de rouges et de bleus. On trouve des œuvres de Huguet dans les musées de Nîmes *(Un marchand d'esclaves traversant le désert de Suez)*, de Rouen *(Ruines d'aqueduc romain, environs de Cherchell)*, de Montpellier *(Halte d'Arabes en Afrique)*, d'Aix *(Cavaliers algériens)* et de Marseille *(Le Minaret* et *Caravane)*.

Marché dans le Sud Algérien, huile sur toile, signée, 66 × 98,5 cm. Anc. Galerie Antinéa, Paris.

115

Jan-Baptist
HUYSMANS

Anvers 1826-Hove 1906
École belge

« Fathma », huile sur panneau, signée,
33 × 16 cm. Collection particulière.

*E*lève à l'Académie d'Anvers de
1843 à 1849, Jan-Baptist Huysmans
exposa pour la première fois dans
cette ville en 1850. Après 1856, il fit
plusieurs voyages en Grèce, Turquie,
Syrie, Palestine (où il réalisa des
scènes religieuses de grandes
dimensions pour des églises de
Jérusalem), Égypte et Algérie. Il
écrivit par la suite divers comptes
rendus de ses aventures. Beaucoup
de tableaux orientalistes de
Huysmans représentent de simples
scènes de la vie quotidienne, dans
des coloris puissants et avec des
détails très observés dans les
costumes et les objets. Dans une
toile peu courante, des mères
amènent leurs enfants pour qu'ils
soient bénis par un saint homme, le
cheik, ou maître, d'un ordre
particulier de derviches, ce qui était
censé porter chance.
Entre 1863 et 1891, il fit parvenir
des petits tableaux, pour y être
exposés et vendus, au Glasgow
Institute of Arts et à la Manchester
City Art Gallery. Dès le début
des années 1860, et pendant près de
trente ans, Huysmans vécut surtout à
Paris ; en 1889, il participa à
l'Exposition Universelle. Ensuite, il
s'installa à Hove, en Belgique, avec
sa femme, Maria-Catharina.

« Un Nuage en plein soleil », huile sur
panneau, signée, 64,7 × 53 cm. Anc.
Galerie Antinéa, Paris.

Augustus Osborne
LAMPLOUGH

Manchester 1877-Bromborough 1930
École anglaise

*A*ugustus Osborne Lamplough, qui étudia à la School of Art de Chester, enseigna à Leeds après 1898-1899. Au début, il fit des intérieurs de cathédrales et des ensembles d'architectures vénitiennes : il se mit aux sujets orientalistes après avoir visité l'Algérie, le Maroc et l'Égypte. A partir de 1905 environ, il peignit presque uniquement des vues du désert ou du Nil, et des scènes de

Forte brise sur le Nil, aquarelle, signée, 52 × 72,5 cm. Anc. Mathaf Gallery, Londres.

marché au Caire. De même que Robert Talbot Kelly et Walter Tyndale, il excellait dans les grands lavis d'aquarelle évoquant les vents de sable tourbillonnants ou le ciel et l'eau dans les faibles teintes du crépuscule ou de l'aube. Pour les fonds, il utilisait l'ocre, ou le chamois et le crème. Il avait une curieuse signature de gaucher, quoique parfois on la rencontre redressée. Il employa ses aquarelles à illustrer les livres : *Cairo and its Environs, Winter in Egypt* et *Egypt and how to see it*, ce dernier étant un guide pour les Chemins de fer d'Etat égyptiens. Il illustra aussi deux ouvrages de Pierre Loti, *La Mort de Philae* et *Égypte*.

Lamplough fut très apprécié par les têtes couronnées. Le roi Édouard VII fit un choix dans la présentation que l'artiste lui fit à Buckingham Palace de vues d'Égypte et de Nubie ; parmi ses autres mécènes royaux, la reine de Grèce, la princesse Béatrice, la reine Alexandra, le khédive d'Egypte et la reine d'Espagne. Lamplough fut un artiste fécond, et de fréquentes expositions de ses œuvres eurent lieu de son vivant à Londres et en province. Aux États-Unis, elles furent présentées à New York, Philadelphie et Buffalo.

Expédition guerrière dans le désert, aquarelle, signée et datée 1913, 63,5 × 95,3 cm. Anc. Mathaf Gallery, Londres.

Jules LAURENS

Carpentras 1825-Saint-Didier 1901
École française

« Ruines du Palais d'Ashraf en Perse, province de Manzanderan », huile sur toile, signée, 65 × 55 cm. Musée Duplessis, Carpentras.

Né dans une famille d'artistes, Jules Laurens étudia très jeune à l'École des Beaux-Arts de Montpellier. Il travailla pour Baudouin, peintre de décors au théâtre municipal, avant d'aller à Paris étudier avec Paul Delaroche. Il tenta, sans succès, le Prix de Rome, mais, au lieu de démarrer dans la carrière par l'habituelle lutte pour être reconnu officiellement, il eut la chance qu'on lui proposât d'accompagner Xavier Hommaire de Hell, envoyé par le gouvernement en mission en Turquie et en Perse. Le géographe français avait déjà passé sept ans dans la Russie de l'Ouest et les steppes de la mer Caspienne. Ils partirent de France au printemps de 1846, passant par Malte et Smyrne pour atteindre Constantinople, où Laurens dessina mosquées, fontaines, costumes et portraits. Ils firent diverses excursions en Bulgarie, en Moldavie et à Brousse, avant de se mettre enfin en route pour leur difficile voyage en juillet 1847 : la route vers Téhéran par Trébizonde, Erzeroum et Tabriz avait rarement été tentée par des Européens. Douze à quatorze heures de cheval par jour, souvent presque rien, ou rien, à manger ou à boire, le risque de choléra, une terrible fatigue, d'affreuses nuits dans des caravansérails au confort discutable, des pistes impossibles : leur voyage fut un cauchemar. La réflexion du soleil sur la neige rendit Hommaire de Hell aveugle un temps, et Laurens, délirant de fièvre, fut attaché sur un mulet, continuant, contre toute vraisemblance, à faire des esquisses à chaque arrêt, couvrant page après page de dessins de types et paysages.

Téhéran, qu'ils atteignirent enfin en février 1848, parut un paradis. Mohammad Chah Qadjar qui, jeune homme, avait appris le dessin avec l'artiste anglais Sir Robert Ker Porter, fut très intéressé par le travail de Laurens, et posa même pour son portrait. Notre artiste fut bientôt très recherché et fit d'autres portraits : l'une des tantes du chah, Farah Khânoun, des notables persans, des membres de la société européenne, ainsi que des dessins de soldats, chameliers et marchands ambulants. Au printemps, Hommaire de Hell et Laurens partirent en expédition pour mesurer le niveau de la mer Caspienne et vérifier la

Hommaire de Hell, encore très fatigué. Après un arrêt à Téhéran – où Laurens eut la satisfaction de montrer ses grands dessins au chah, mais où il fut assailli de gens réclamant leur portrait – les deux hommes se remirent en route, cette fois par Ispahan. Hommaire de Hell, affaibli, et accablé par le brûlant soleil d'août, fut bientôt pris d'une forte fièvre et mourut à Djôlfa. Après avoir enterré son compagnon, Laurens échappa de peu à des hordes de pillards provenant de tribus en révolte, après la mort de Mohammad

possibilité d'une ancienne communication avec la mer Noire. La province du Manzandéran, avec ses rizières, ses orangeraies, ses cascades et sa végétation luxuriante, les séduisit. A Ashraf, qui les enchanta, un groupe de palais en ruine étaient presque engloutis dans une profusion de verdure envahissante, moussue, humide. Le retour à travers les plaines du Khorassan et le grand désert de sel fut une épouvantable épreuve pour

« L'Hiver en Perse », huile sur toile, signée, 114 × 189 cm. Hôtel de Ville, Bagnères-de-Bigorre (en dépôt au Palais de Justice).

Chah. Il resta encore quelques mois en Perse, mais comme la sécurité des étrangers ne semblait pas garantie avec Nâsser-al-Din Chah, il quitta Téhéran en février 1849.

Au Salon de Paris de 1850, Laurens exposa la première des nombreuses toiles que lui inspirèrent ses aventures extraordinaires, qui l'avaient rendu célèbre, en partie en raison de sa jeunesse. Il écrivit et illustra de nombreux articles sur le Moyen-Orient dans des publications comme *L'Illustration* et *Le Tour du Monde*, et fit les planches pour le magnifique album que Madame Hommaire de Hell écrivit d'après les notes de son mari. Laurens, pressenti par Prosper Bourée pour repartir en Perse, lui suggéra d'autres peintres, dont Louis Tesson, Narcisse Berchère et Alberto Pasini, qui fut finalement retenu.

Quoique très occupé à écrire, graver et peindre, Laurens trouvait le temps de créer un cercle littéraire et artistique, rassemblant autour de lui Prosper Mérimée et Théophile Gautier, le graveur Félix Bracquemond, l'égyptologue Prisse d'Avennes et des artistes (dont beaucoup étaient allés au Moyen-Orient) tels que Raffet, Dauzats, Vacher de Tournemine, Doré, Belly, les princes Soltykoff et Gagarin, Pasini et le colonel Colombari. Sur la fin de sa vie, Laurens écrivit ses mémoires, qui contiennent des informations inappréciables sur ses contemporains. Il légua ses aquarelles et dessins à l'École des Beaux-Arts de Paris, et aux musées de Carpentras et Avignon.

« Lac et la forteresse de Vann en Arménie », huile sur toile, signée, 84 × 125 cm. Anc. Galerie Antinéa, Paris.

Hippolyte LAZERGES

Narbonne 1817-Alger 1887
École française

Rêverie, huile sur toile, signée et datée 1883, 72,8 × 68 cm. Musée d'Art et d'Histoire, Narbonne.

*L*azerges, qui exposa au Salon de la Société des Artistes Français de 1841 à 1887, était un artiste prolifique de scènes religieuses, lesquelles, comme il l'admettait lui-même, ne trouvaient pas aisément acquéreur. Endetté et poursuivi en permanence par ses créanciers, il en vint à penser que le seul moyen pour lui et sa famille de s'en sortir était d'obtenir des achats de ses œuvres par l'Etat et des commandes officielles. Il est de fait qu'aujourd'hui l'on trouve nombre de ses peintures dans des musées français ainsi que ses décorations murales aussi bien dans des églises, chapelles et cathédrales qu'au théâtre d'Orléans et à la Sorbonne. Lazerges a visité l'Algérie tôt, et c'est en 1842 qu'il exposa sa *Courtisane, souvenir d'Alger.* Une vente aux enchères de ses œuvres eut lieu à Paris en 1858, et il semble qu'il se soit installé à Alger peu après. Parmi ses peintures orientalistes, représentant souvent des personnages en pied, on trouve *Kabyles moissonnant dans la plaine de la Mitidja* (1861, musée de Perpignan), *Caravanes de Kabyles* (1876), *Fatma la Chanteuse* (1877), et *Biskri, porteur d'eau à Alger* (1878, musée National des Beaux-Arts, Alger). Lors d'une autre vente aux enchères de ses œuvres, en mars 1876, des peintures à la cire sur panneaux, des aquarelles et des dessins furent dispersés. Il publia un certain nombre de brochures sur l'Ecole des Beaux-Arts de Paris et sur les expositions officielles, de même qu'il composa de la musique et écrivit des chansons.

« Le Derouïch' du café Mohamed-Chérif »,
huile sur panneau, signée et datée
Alger 1878, 72,5 × 56 cm. Collection
particulière.

Edward LEAR

Holloway 1812-San Remo 1888
École anglaise

Constantinople vu d'Eyüp, huile sur toile, signée avec les initiales et datée 1858, 39 × 25 cm. Anc. The Fine Art Society, Londres.

*D*es générations d'enfants anglais ont été élevés avec les poèmes bébêtes, les bouts rimés et les chansons d'Edward Lear, mais peu connaissaient la vie extraordinaire de ce génie aux multiples facettes, le plus attachant des voyageurs du dix-neuvième siècle.

Vingtième des vingt et un enfants d'un agent de change londonien mis en faillite par l'effondrement financier provoqué par les guerres napoléoniennes, Lear fut élevé, après l'éclatement de la famille, par sa sœur Ann, de beaucoup son aînée. Ignoré par ses parents, atteint d'épilepsie chronique, asthmatique, l'enfant se renferma dans un isolement hypersensible.

Il prit très tôt la décision de se consacrer à la peinture de paysage. Sa vue déjà faible s'était abîmée à travailler sur des planches ornithologiques et zoologiques en couleurs, lui rendant tout travail méticuleux impossible. En outre, ses poumons malades ne pouvaient supporter les hivers sombres et affreusement humides. Il quitta l'Angleterre en 1837, et fut un errant le reste de sa vie. Après avoir passé plusieurs années à Rome et publié trois albums de paysages italiens, il se mit à explorer des pays hors des sentiers battus, les îles Ioniennes et la Grèce continentale, la Turquie, l'Albanie, Malte, l'Égypte, le désert du Sinaï, la Palestine et, de 1872 à 1874, l'Inde et Ceylan.

Lear, rondouillard à lunettes, déplumé et barbu, voyagea d'abord seul, puis accompagné de son fidèle domestique souliote Giorgio Kokali, qui resta vingt-cinq ans avec lui. En dépit de conditions de voyage souvent très dures, Lear, qui était extrêmement sensible aux ambiances, était tantôt enthousiaste à l'excès, tantôt écrasé d'angoisse devant les paysages et sites envoûtants qu'il découvrait. Il exprimait ses sentiments et impressions – tristesse, jubilation, souffrance, joie – dans d'exquises notes écrites au jour le jour et dans sa volumineuse correspondance. Ayant choisi d'être le peintre sincère de contrées lointaines, Lear était contraint de voyager sans cesse, en quête de nouveaux sujets pour les dessins et peintures qui étaient son gagne-pain. Bien que ses livres pour enfants lui aient valu renommée et quelques revenus, ses voyages étaient très coûteux, et pas toujours rémunérateurs. Il vendit ses albums de paysages, réalisés entre 1851 et 1870, par souscription, mais la lithographie est une activité lente et laborieuse. Aussi pensa-t-il, en en tirant des huiles soigneusement travaillées, pouvoir se faire une

coquettes. Il les estimait d'un bien plus grand intérêt que ses esquisses, et pourtant, les commandes d'aquarelles déclenchaient toujours chez lui une activité joyeuse. Il semblait que cet homme aimable, d'une grande bonté, qui cachait tant de mélancolie sous un humour particulier, ne dût jamais cesser de lutter pour gagner sa vie.

Le premier mouvement d'intérêt pour Lear, après sa mort, fut quand Lady Strachey publia, en 1907 et 1911, deux volumes de ses lettres, qui révélèrent sa personnalité fascinante. A l'époque, la plupart de ses œuvres étaient chez des particuliers. En 1929, un bon nombre de ses dessins furent présentés à une série d'enchères à Londres, en même temps que les carnets de son journal et des manuscrits.

réputation comme peintre. Il peinait dessus avec patience et application, aidé et encouragé par le peintre pré-raphaélite Holman Hunt, et de temps en temps parvenait à en obtenir d'amateurs des sommes jugées

Jérusalem vue du mont des Oliviers, lever de soleil, huile sur toile, signée avec les initiales et datée 1859, 40 × 60,3 cm. Anc. The Fine Art Society, Londres.

Jean LECOMTE DU NOUŸ

Paris 1842-Paris 1923
École française

*J*ean Lecomte du Nouÿ représente un condensé de l'Orientalisme académique, avec sa technique méticuleuse, soignée, son souci extrême du détail archéologique et architectural et ses thèmes puisés à des sources littéraires. Il descendait d'une famille de noblesse piémontaise qui s'était fixée en France au quatorzième siècle. Ses parents étaient des collectionneurs, et son oncle, André du Nouÿ, était peintre de Murat quand ce dernier était roi de Naples. Il étudia avec Charles Gleyre, puis avec Émile Signol, avant d'entrer dans l'atelier de Jean-Léon Gérôme, dont l'influence l'amena à peindre et exposer des thèmes néo-classiques et orientalistes. Gérôme l'encouragea à aller en Égypte, vers 1862, en compagnie de Félix Clément à qui le prince Halim avait commandé la décoration de son palais de Choubrah, près du Caire. Mais Lecomte du Nouÿ ne s'intéressa qu'à l'Égypte classique, et pas à l'aspect islamique. Son fameux tableaux *Les Porteurs de mauvaises nouvelles*, exposé au Salon de 1872 et acheté par le musée du Luxembourg, fut inspiré d'un épisode de *La Momie*.

La documentation lui en fut fournie par l'égyptologue Prise d'Avennes. A l'âge de trente ans, Lecomte du Nouÿ connaissait un succès considérable. L'État lui achetait d'autres œuvres, *Le Charmeur d'oiseaux* (1870), *La Mort de Jocaste* (1872) et *Éros* (1874). Il recevait la commande de la décoration d'une chapelle à l'église de la Trinité. Il obtint le second Prix de Rome, alla à Venise avec le peintre Charles Toché et, devenu veuf peu de temps après son mariage, partit au Maroc, à Tanger et à Tétouan. Ce voyage lui inspira *Juive à Tanger* (1877), *La Prière du soir à Tanger* (1879), *Le Marabout prophète Sidna Aïssa, Tanger* (1883) et *La Première Étoile ou la fin du grand jeûne, Tanger* (1894), présenté au Salon de 1895. En 1877, il exposait son remarquable *La Porte du sérail : souvenir du Caire*, acheté par le comte Daupias, de Lisbonne. Malgré le réalisme quasi photographique de ce tableau, Lecomte du Nouÿ y avait réuni, comme il le faisait souvent, des détails pris dans divers documents. Puis, pendant quelques années, il s'inspira surtout de Victor Hugo et Gautier, pour son vaste triptyque *Ramsès dans son harem* (1885-86) présenté à l'exposition *Eastern Encounters* de The Fine Art Society en 1978, *Les Orientales* (1884, musée de Caen), *Tahoser* (1887), et *Tristesse de Pharaon* (1901). Quant à son fameux tableau *L'Esclave blanche* (1888), l'attitude de la langoureuse circassienne nue vient probablement soit des *Émaux et camées* de Gautier, soit du *Voyage en Orient* de Gérard de Nerval. Maintenant au musée des Beaux-Arts de Nantes, elle rappelle une des odalisques du *Bain turc* d'Ingres : n'a-t-on pas dit de Lecomte du Nouÿ que c'était « Ingres faisant du Gérôme » ?

En 1895, l'artiste, en route pour Constantinople, fit un arrêt à Bucarest, où son frère était architecte de la cour de Roumanie. Il y fit des portraits et des fresques dans le style byzantin pour des églises. Il alla une fois encore en Égypte pour des études en vue de son *Tristesse de Pharaon*, et plus tard fit un voyage à Biskra, mais ne peignit rien d'inspiration algérienne.

« Un Shérif », huile sur toile marouflée sur panneau, signée, dédicacée et datée 1878, 25,5 × 20 cm. Jordan National Museum of Fine Arts, Amman.

John Frederick LEWIS

Londres 1805-Walton-on-Thames 1876
École anglaise

Bey Mamelouk, huile sur toile, signée et datée, 35,4 × 24,9 cm. Collection particulière.

*J*ohn Frederick Lewis fut peut-être celui des artistes anglais qui sut rendre le mieux l'atmosphère de l'Orient, avec une précision et une richesse de détails confinant à l'obsession. Son aquarelle gouachée *Le Harem* fit sensation lors de sa présentation à Londres en 1850, mais fut peu connue à l'étranger, en dépit de Théophile Gautier la déclarant un mélange de « patience chinoise et de délicatesse persane ».

Club-man et dandy dans sa jeunesse, bel homme, plutôt distant, Lewis était peu communicatif et totalement occupé de son art. A la différence de nombre des artistes voyageurs de son époque, il ne raconta pas ses voyages dans un journal ou des lettres enthousiastes. Même les raisons de l'éloignement de la civilisation européenne qu'il s'imposa – il séjourna onze ans en Orient – n'ont jamais été exactement connues. Il n'avait pas vingt ans qu'il était déjà apprécié comme dessinateur remarquable et peintre animalier. Issu d'une famille d'artistes, il avait été formé par son père, Frederick Christian Lewis l'aîné, graveur de talent. Aux environs de 1827, il se consacra presque exclusivement à l'aquarelle. Son premier voyage en Espagne et à Tanger, de 1832 à 1834, constitua une étape importante dans sa carrière, l'initiant à l'architecture musulmane, modifiant sa palette (c'est le début des lavis de rouge, jaune et bleu, à peu près purs) et établissant sa réputation. Il fut, un temps, surnommé Lewis l'Espagnol. En 1840, il partit, via la Grèce et Smyrne, pour Constantinople, où il fit de nombreuses et remarquables études de mosquées et des différents types peuplant l'Empire Ottoman, Turcs, Circassiens, Arméniens, Albanais. Il visita Brousse pendant l'été 1841, et de là partit pour l'Égypte.

Au Caire, Lewis adopta le costume oriental et vécut en seigneur ottoman dans une demeure du quartier d'Ezbekieh. Il fuyait la communauté européenne, déclarant qu'il appréciait le mode de vie qu'il avait adopté « parce qu'il était débarrassé des soirées, n'avait pas à porter de gants de chevreau blanc ni lingerie amidonnée, et plus de journaux à

Le Harem, aquarelle sur crayon, 47 × 67,3 cm. The Victoria and Albert Museum, Londres.

lire ». Il demeura ainsi dix ans au Caire, y faisant d'innombrables études : mosquées, obscurs souks couverts, patios aux fines colonnettes, foules affairées se bousculant dans les rues étroites, intérieurs de harems, avec le soleil filtrant par les moucharabiehs dans l'appartement somptueusement meublé des femmes. Il fit aussi des portraits : Méhémet (Mohammed) Ali Pacha, vice-roi d'Égypte, le jeune prince Iskander, boudeur, Madame Linant de Bellefonds, épouse de l'ingénieur français, et Sir John Gardiner Wilkinson.

Dans les années 1840, Le Caire était encore une ville médiévale ; la liaison ferroviaire avec Alexandrie et l'ouverture du canal de Suez

École turque dans les environs du Caire, huile sur panneau, signée et datée 1865, 66 × 118 cm. Collection particulière.

n'avaient pas encore amené le flot de visiteurs européens. Lewis y déplorait tout de même trop de civilisation, l'ennui des bavardages inévitables et la perte de temps causée par un occasionnel visiteur de Londres. Rien ne lui plaisait plus que les randonnées dans le désert « avec l'émouvante contemplation de la nuit étoilée, quand les chameaux étaient entravés, les feux et les pipes allumés ». En 1842, il fit une expédition au désert du Sinaï, à Sainte-Catherine et au Djebel Mousa ; d'autres voyages le menèrent à Suez, en amont sur le Nil à Edfou, Thèbes et la cataracte d'Assouan.

Quand Lewis et sa jeune femme, qui fut souvent son modèle, rentrèrent en Angleterre en 1851, ils constatèrent que *Le Harem*, sa première œuvre exposée depuis 1841 à la Old Watercolour Society, avait obtenu d'élogieuses critiques. L'écrivain d'art et théoricien John Ruskin, son plus fervent adepte, redoutait que ses aquarelles diaprées passent et le poussait à se mettre à l'huile. Mais si Lewis se rangea à son avis, il le fit probablement pour des considérations financières plutôt qu'artistiques. Il fut certainement un des plus habiles utilisateurs de cette difficile technique qu'est l'aquarelle et, bien qu'il l'enseignât, ses élèves estimaient impossible d'égaler sa virtuosité. Lewis démissionna en

1858 de ses fonctions de président et membre de l'Old Watercolour Society, mais exposa régulièrement à la Royal Academy des huiles, toujours à sujets orientaux, et souvent reprises d'aquarelles antérieures.

Intérieur de mosquée, prière de l'après-midi, huile sur panneau, signée des initiales et datée 1857, 31 × 21 cm. Anc. Mathaf Gallery, Londres.

*Vue de la rue et de la mosquée al-Ghouri,
Le Caire, crayon, aquarelle et couleur de
fond, signé et daté 1876, 58,4 × 44,2 cm.
Anc. The Fine Art Society, Londres.*

La Boutique de kebab, Scutari, Asie Mineure, huile sur panneau, signée avec les initiales et datée 1858, 53,3 × 78,7 cm. Anc. The Fine Art Society, Londres.

Prosper MARILHAT

Vertaizon 1811-Paris 1847
École française

*E*n dépit de sa courte carrière, Prosper Marilhat est un des « classiques » du mouvement orientaliste. Il fut étonnamment actif, accumula croquis et études, mais atteint de troubles mentaux et mort jeune, il laissa des centaines de tableaux inachevés. S'il y eut beaucoup d'articles le concernant écrits au dix-neuvième siècle, aucune monographie ne lui fut consacrée de nos jours avant le travail universitaire de Danièle Menu, fruit d'années de patientes recherches. Fils d'un banquier, Marilhat passa son enfance au château de Sauvagnat, en Auvergne. Son père s'étant installé à Thiers, il tenta, sans succès, une carrière commerciale dans la coutellerie, l'industrie locale. A dix-huit ans, il vint à Paris étudier avec Camille Roqueplan, et exposa pour la première fois au Salon de 1831 un paysage d'Auvergne. L'occasion de visiter le Proche-Orient s'offrit à Marilhat quand il fut engagé comme dessinateur dans une expédition scientifique menée par le riche baron von Hügel, botaniste, politicien et soldat. Ils partirent en avril 1831 pour la Grèce, puis l'Égypte ; Marilhat mena ensuite une vie nomade à travers la Syrie, le Liban, la Palestine, puis, de Jaffa, rentra en Égypte. C'est alors qu'il exécuta ses études de majestueuses caravanes et de campements dans de mornes immensités désertiques et, s'étant pris de passion pour l'Égypte, il refusa d'accompagner le baron en Inde. Il retrouvait, lui semblait-il, la ressemblance exacte des sculptures antiques dans les visages qu'il rencontrait ; en outre, il était particulièrement sensible à l'imposante majesté du pays et de ses habitants. Fin 1832, il était à Alexandrie où il faisait « des portraits pour vivre et des études pour apprendre ». Il peignit Méhemet (Mohammed) Ali, l'égyptologue Prisse d'Avennes, ainsi que des notabilités locales et dessina même des décors pour le théâtre de la ville. Les profits de ces activités lui permirent de prolonger son séjour et il parcourut le delta jusqu'en mai 1833, date de son retour à bord du « Sphinx », qui transportait l'obélisque de Louqsor. Les envois de Marilhat au Salon de 1834 furent une révélation pour le public et pour les critiques, unanimement favorables, surtout Théophile Gautier, à qui la fameuse *Place de l'Esbekieh et du quartier copte au Caire* donna « la nostalgie de l'Orient où je n'avais jamais mis les pieds. Je crus que je venais de reconnaître ma véritable patrie et lorsque je détournais les yeux de l'ardente peinture, je me sentais exilé ». Marilhat, qui continuait à peindre des sujets orientalistes et aussi des portraits et des paysages d'Europe, ne tarda pas à montrer des signes de troubles mentaux. Bien que ses huit tableaux du Salon de 1844 fussent un triomphe, le mettant au faîte de la célébrité, il estimait mériter plus d'intérêt. Les progrès de la maladie l'empêchèrent de réaliser son projet de retourner en Égypte et, grâce à une initiative de Prosper Mérimée et Camille Corot, il obtint

de son vivant par les gravures que firent divers artistes d'après ses œuvres. Nombre de ces gravures sont maintenant au Cabinet des Estampes, à Paris, et au British Museum, à Londres. Conséquence de ce succès, de nombreuses copies de ses œuvres furent faites de son vivant et dans les années qui suivirent sa mort. Ses huiles, rares sur le marché, sont dans nombre de musées d'Europe et des États-Unis.

du gouvernement une pension annuelle. Mais il était trop tard : Marilhat mourut, fou, en 1847. Ses dessins délicats, souvent rehaussés de touches de sanguine et de craie, montrent son souci de l'exactitude, mais ses huiles, en dépit de sa sincérité et de sa vision vraie de l'Orient, sont moins objectives. Ses paysages, aux trop riches couleurs chaudes, baignant dans un perpétuel crépuscule, sans nuances ni demi-teintes, ne répondent pas toujours au goût actuel.
Marilhat fut particulièrement diffusé

« Ruines de la mosquée El Hakem au Caire », huile sur toile, signée, 1840, 84,5 × 130,5 cm. Musée du Louvre, Paris.

Arthur MELVILLE

East Linton 1855-Witley 1904
École écossaise

Le Bazar turc au Caire, aquarelle et gouache, signée et datée 1881, 54,5 × 37,1 cm. Anc. The Fine Art Society, Londres.

*P*our Arthur Melville, seules la lumière et la couleur comptaient, à l'exclusion du détail anecdotique : il fut un des aquarellistes les plus surprenants et les plus originaux de son temps, et fut un membre influent dans le groupe d'artistes progressistes de Glasgow, qui fut connu sous le vocable de « Glasgow Boys ». Presque tous perfectionnèrent leur formation à l'étranger, à Bruxelles, Munich, Düsseldorf et Paris. La formation que donnaient alors les académies en France était l'une des meilleures et des plus complètes d'Europe : c'est pourquoi Melville vint à Paris en 1878 pour étudier à l'Académie Julian.

A l'automne 1880, il alla en Égypte, et fut bientôt un élément apprécié de la colonie britannique, envoyant ses œuvres à des marchands de tableaux en Angleterre. Depuis ce temps, il travailla presque uniquement à l'aquarelle. Il mit au point une technique consistant à poser sa couleur sur le papier humide imprégné de blanc de Chine, ceci sans le bâti habituel d'un dessin préparatoire, de petites touches concentrées de couleur, prune, roux, bleu, avec çà et là des pointes de vert et de jaune, jaillissant de grands aplats unis.

En mars 1882, Melville partit avec Sir Arthur Stepney, descendit la mer Rouge jusqu'à Djeddah, repartit d'Aden pour l'Inde, où il alla jusqu'à Karachi. Il en partit presque immédiatement pour Mascate, où il trouva que « les Arabes, avec leurs pistolets, leurs lances et leurs sabres, leur peau sombre, leurs amples draperies, étaient un spectacle pour les dieux. Rien ne pourrait être plus frappant ». Les deux voyageurs envisagèrent d'abord de traverser la Perse à cheval, puis abandonnèrent cette idée, et Melville rentra à travers l'Asie Mineure, de Bagdad à la mer Noire. Il avait déjà réalisé « une charretée » d'aquarelles, s'étant révélé capable d'en faire cinq, et parfois jusqu'à huit, par semaine ; il les expédia en Angleterre, où elles ne couraient plus de risque. Il voyageait la nuit, faisait de petits sommes à chaque occasion. Il fut une fois pris en chasse par une troupe de plus de cent brigands, les balles lui sifflèrent aux oreilles. Il poursuivit son voyage vers Mossoul et Diarbeker, souffrant terriblement de la fièvre. De nouveau attaqué par des voleurs, il fut laissé pour mort, nu, en plein désert ; il parvint à se traîner jusqu'à un village voisin, et, quelque temps après, participait à l'expédition punitive contre ses assaillants, et put récupérer ses affaires, dont son plaid écossais et sa bible. Retenu par le pacha de la région, qui suspectait en lui un espion britannique, il fut finalement autorisé à poursuivre sa route vers Constantinople et, à son retour à Édimbourg, le récit de ses aventures fut considéré par ses amis comme des tartarinades. Son nom n'en est pas moins resté attaché à ce voyage. Jugé dangereusement d'avant-garde par la Royal Scottish Academy, Melville exposa ses œuvres à la Royal Watercolour Society de Londres. En 1893, il fit, avec les « Glasgow Boys », une exposition à la Grafton Gallery de Londres, en compagnie de James Whistler et des peintres français Edgar Degas et Jean-François Raffaëlli. Les œuvres

dans le goût impressionniste que les Écossais envoyèrent à l'exposition de Saint-Louis y firent sensation. Melville fit d'autres voyages, en Algérie, au Maroc et en Espagne, qu'il visita en 1891 avec le peintre Frank Brangwyn. En 1894, il alla pour la première fois à Venise, mais la trouva sage et conventionnelle comparée à l'Orient. C'est durant un de ses voyages en Espagne qu'il attrapa la typhoïde qui l'emporta.

Cour arabe, aquarelle avec couleur de fond blanche, 53 × 38 cm. Collection particulière.

Leopold Carl MÜLLER

Dresde 1834-Vienne 1892
École autrichienne

*L*eopold Carl Müller fut un peintre éminent, dont l'influence sur l'école orientaliste viennoise fut marquante. Après avoir étudié avec son père, le lithographe Leopold Müller, il fut l'élève de Karl von Blaas et Christian Ruben à l'École des Beaux-Arts de Vienne. A ses débuts, il peignit des sujets historiques, des portraits et des paysages d'Italie, tout en collaborant à *Figaro*, un magazine satirique viennois. La première de ses neuf visites au Caire date de l'hiver 1873-74 et, outre l'agrément du séjour, il pressentit les bienfaits du climat sur sa santé, car il craignait d'avoir hérité les poumons fragiles de sa famille. Il adopta une nouvelle méthode de travail : faire sur le motif des études qu'il poussait à l'œuvre aboutie en atelier. Après son premier séjour, il rentra rapidement à Vienne par Constantinople au lieu de visiter la Syrie, comme il l'avait prévu, car il voulait éviter que ses impressions se dénaturent par un trop long délai avant de les reporter sur la toile. Il rapportait une quinzaine de costumes orientaux, qu'il utilisa par la suite comme accessoires d'atelier. Cet hiver-là, il acheva son grand tableau *Bédouins campant devant les Pyramides*, qui fut exposé à la

Künstlerhaus et acheté par le Belvédère (Österreichische Galerie). L'année suivante, en février 1875, il était de retour au Caire et invitait son confrère viennois Hans Makart à l'y rejoindre en l'hiver 1875-1876. Makart, qui pratiquait un Orient imaginaire, ne partagea pas l'enthousiasme de Müller pour le travail en plein soleil. D'autres artistes les rejoignirent, dont le portraitiste en vogue Franz von Lenbach.

Müller, qui avait souvent des ennuis financiers, commença à obtenir des commandes, par exemple pour sa *Place du marché aux portes du Caire*. Ce tableau, terminé en 1878, est considéré comme l'une de ses œuvres les plus importantes, bien que lui ne l'aimât pas – il était souvent déçu de son travail. Elle fut copiée plusieurs fois, alors que Müller conseillait à ses élèves de choisir quelque chose de meilleur. En 1877, il terminait sa *Vendeuse de rameaux de palmiers*, typique de ces saisissantes études de personnages isolés dans lesquelles il excellait. Il acceptait à la même époque un poste de professeur à l'Académie des Beaux-Arts, mais eut l'autorisation d'aller une fois encore au Caire avant de prendre – à regret – ses fonctions. Pendant cet hiver 1877-78, il fit aussi des dessins pour Georg Ebers, égyptologue et romancier allemand qui décrivait la vie dans l'Égypte des Pharaons.

Il considérait comme son voyage le plus réussi celui qu'il fit en 1881 en Haute-Égypte avec un séjour de près de deux mois à Assouan qui le marqua beaucoup. Bien que Müller eût des clients tout acquis auprès des touristes anglais hivernant au Caire,

son élève Franz Kosler, et *Marché de la canne à sucre*, où apparaît son génie pour les compositions de foule originales, avec leurs coloris agréables et leurs personnages et visages au modelé remarquable. Un an après la mort de Müller, son portrait *Nefusa*, maintenant à la Österreischiche Galerie, à Vienne (qui possède plusieurs de ses œuvres), fut acheté par l'empereur d'Autriche, François-Joseph.

il avait suivi le conseil du prince de Galles, en 1875, d'envoyer ses tableaux à Londres. Ses œuvres y étaient donc connues depuis des années quand il y alla, en 1882. Parmi les toiles possédées par des collectionneurs anglais : *La Fontaine, Joueurs de tric-trac* et *Intérieur d'une maison arabe*. Müller continua d'aller en Égypte jusqu'en 1886. Parmi ses derniers tableaux menés à bien, citons *Les Saltimbanques*, voisin de celui de

Place du marché aux portes du Caire, huile sur toile, signée et datée 1878, 136 × 216 cm. Österreichische Galerie, Vienne.

Alberto PASINI

Busseto 1826-Cavoretto 1899
École italienne

L'Arrivée du pacha, huile sur toile, signée, 52,7 × 35,5 cm. Collection particulière.

*C*hez Alberto Pasini, la virtuosité technique, le sens des harmonies de couleurs, et l'excellent rendu de la lumière font regretter que l'on trouve si rarement ses ravissantes peintures. Né dans le duché de Parme, il fut orphelin très tôt. Il étudia la lithographie à l'Académie des Beaux-Arts de Parme, et publia un album illustré sur l'architecture et l'histoire de la région. Mais ceci ne lui suffisait pas pour vivre. Arrivé à Paris en 1851, il y travailla dans une maison d'édition, tout en prenant des leçons avec Eugène Ciceri, qui le mit en rapport avec d'autres peintres, notamment Théodore Rousseau. C'est par Théodore Chassériau qu'il rencontra Prosper Bourée, diplomate sur le point de partir en mission auprès du chah de Perse Nâsser-al-Din, afin de contrebalancer l'influence russe durant la guerre de Crimée. Bourée invita Pasini à l'accompagner comme peintre personnel, en même temps que l'essayiste comte Arthur de Gobineau – lequel, hostile dès le début à Pasini, négligea de le mentionner dans son ouvrage *Trois ans en Asie, 1855-58*.

Pasini se mit en route en mars 1855 et, par l'Égypte, l'Arabie Saoudite, le Yémen du Sud et le Golfe Persique, arriva finalement à Téhéran, où il passa un an et demi. Il effectua nombre de tournées en Perse en compagnie du chah, qui lui commanda plusieurs tableaux. Rentrant à Paris en 1856, cette fois par la mer Noire et Constantinople, il se mit à réaliser pour les Salons des vues de Perse, d'Arabie, d'Azerbaïdjan et de Syrie, en utilisant les esquisses faites sur place. Il eut l'occasion de rencontrer, dans l'atelier de Jules Laurens, des artistes amoureux de la Perse, tels le prince Soltykoff, Eugène Flandin et

*Les Captifs, huile sur toile, signée et datée
1880, 42,5 × 33,5 cm. Collection
particulière.*

le colonel F. Colombari. Son aventure persane ayant comblé ses espérances, Pasini ne s'arrêta plus de voyager : Constantinople en 1868-69, Asie Mineure, Syrie et Liban en 1873, fréquents séjours à Venise, et deux voyages en Espagne, l'un en compagnie de Jean-Léon Gérôme et Albert Aublet. Après avoir partagé son temps libre entre Paris et sa villa de Cavoretto, près de Turin, il se fixa définitivement en Italie pour s'occuper d'agriculture tout en continuant à peindre. Pasini était probablement, en France, le plus connu des artistes orientalistes d'origine étrangère. Le marchand de tableaux parisien Goupil lui assura une belle clientèle, et de nombreux Américains lui étaient fidèles aux Salons (les musées américains et canadiens possèdent de nombreuses œuvres du peintre). Il exposa à Florence, et davantage à Turin, sa ville d'adoption. A l'Exposition Nationale de Turin de 1880, il obtint un diplôme ; à celle de 1898, il présenta, dans une salle qui lui était réservée, trois cents études, dont il offrit une grande partie à la ville. D'autres musées, à Amsterdam, Florence, Montréal, Sydney, Nantes, Mulhouse, possèdent certaines de ses œuvres.

Comme Fromentin, à qui on l'a souvent comparé, Pasini fut frappé par la délicatesse de la lumière en Orient. Son rendu du contraste entre ombre et soleil, l'exactitude quasi photographique de ses architectures et personnages sont à l'opposé de l'exotisme fantaisiste des œuvres orientalistes antérieures. Il excellait aux groupes de chevaux présentant leurs croupes luisantes au spectateur, tenus par de simples soldats mêlés aux marchands et aux passants. Il aimait représenter les petits détails caractéristiques : des chiens paressant au soleil, un arbre projetant son ombre sur le mur voisin. Dans un grand nombre de toiles, *Halte de cavaliers syriens à la porte d'un bazar, Cavaliers circassiens attendant leur chef, La Cour du Khan un jour de marché, Marché aux chevaux,* l'architecture tient une place importante, et Pasini veillait particulièrement à rendre le détail de l'arrangement des tuiles ou la précision des inscriptions. D'autres œuvres, d'un grand charme, représentent des groupes de femmes turques voilées, pique-niquant près d'un kiosque, se reposant dans le jardin d'une maison de campagne, marchant sous leurs ombrelles dans une rue grouillante, et rappellent des œuvres de l'école turque menée par Osman Hamdy Bey. Silencieuses, dignes, modestes, elles sont bien loin des esclaves, danseuses et odalisques destinées, chez tant d'Orientalistes, à chatouiller l'imagination du public européen.

*Marché à Constantinople, huile sur toile,
signée et datée 1874, 130 × 105 cm.
Collection particulière.*

Eugène PAVY

École française

*F*rère de Philippe Pavy, avec lequel il voyagea en Tunisie, en Algérie, au Maroc et peut-être en Egypte pendant les années 1870 et 1880. Il exposa ses tableaux de marchands ambulants, sentinelles en armes, gardes de palais, souks, à Paris et à Londres où il vécut quelques temps. A Londres, de 1879 à 1884, lui et son frère louèrent des ateliers à la Langham Chambers, près de Portland Place, immeuble où logeaient d'autres artistes et qui fut aussi le siège de l'Artists' Society. Pavy, qui participa à des expositions de la Royal Society of Painters and Etchers en 1874 et 1875, envoya deux tableaux orientalistes à la Royal Academy et huit tableaux à la Royal Society of British Artists et la Grosvenor Gallery. Trois de ses œuvres, acquises en 1898, sont conservées à la Glasgow Art Gallery.

Jour de marché, Tanger, huile sur panneau, signée et datée Tanger 1885, 44 × 71,6 cm. Anc. Mathaf Gallery, Londres.

Page de droite : *La Place du marché, huile sur toile, signée, 91,5 × 61 cm. Anc. Mathaf Gallery, Londres.*

146

Philippe PAVY

1860-
École française

Gardien du sérail, huile sur panneau,
signée et datée, 86, 45,8 × 30,5 cm.
Collection particulière.

*P*hilippe Pavy et son frère, Eugène, se spécialisèrent tous deux dans des tableaux d'Afrique du Nord et du Proche-Orient. Ils voyageaient ensemble et leurs œuvres sont en fait très semblables. Les Pavy vécurent quelque temps à Londres, et Philippe y exposa à partir de 1874 à la Society of British Artists, dans Suffolk Street, et à la Royal Academy entre 1874 et 1889. Parmi les tableaux exposés : *Femmes turques à la fontaine* (1878), *Une esclave circassienne* (1880), *Bijoutier au Caire* (1880), et *La Casbah d'Alger* (1882). Pavy passa probablement par l'Espagne pour se rendre en Afrique du Nord, car il peignit des scènes à Grenade, Séville et Malaga. Vers la fin des années 1880, il exposa plusieurs fois au Salon des Artistes Français, en particulier sa belle *Arrivée d'une mariée dans un village, Biskra (Algérie).*

Généralement peintes sur panneaux de bois, ses compositions de soldats nubiens, de marchands d'oranges, de joueurs d'échecs, de porteurs d'eau, de processions, sont traitées avec beaucoup d'entrain. Elles équilibrent le détail ethnographique, les valeurs de lumières habilement rendues et l'harmonie des couleurs.

*Au bazar, huile sur panneau, signée et
datée 1878, 42 × 34,3 cm. Anc. Mathaf
Gallery, Londres.*

Henri
REGNAULT

Paris 1843-Buzenval 1871
École française

*L*a glorieuse mort d'Henri Regnault au combat interrompit brutalement une carrière de météore, mais immortalisa son nom.

Fils de Victor Regnault, chimiste célèbre par ses recherches, directeur de la Manufacture Nationale de Porcelaines de Sèvres, Henri Regnault montra un précoce talent de dessinateur. Il entra, avec son inséparable ami Georges Clairin, dans l'atelier d'Alexandre Cabanel, à l'École des Beaux-Arts de Paris. Regnault éprouvait toujours le besoin de réussir en tout, marche, natation, chasse, équitation, et, bien sûr, peinture. Aussi fut-il déçu et découragé d'échouer deux fois au Prix de Rome. En 1866, il exécuta son envoi au concours dans un élan spontané de dernière minute, et remporta enfin le Grand Prix avec ce *Thétis apportant à Achille les armes forgées par Vulcain*. Pendant son séjour à Rome, Regnault alla à l'atelier de Mariano Fortuny y Marsal et fut ébloui par sa virtuosité et sa brillante palette. L'influence de l'Espagnol sur son œuvre ne fut pourtant pas immédiate, et son envoi de première année, *Automédon* (Boston Museum of Fine Arts), avec deux superbes fougueux chevaux arabes, était dans la pure tradition romantique. Un des chevaux qu'il avait utilisés comme modèle s'emballa et Regnault fut désarçonné ; cet accident eut des complications, et l'artiste partit en convalescence en Espagne. Là, avec Clairin, il étudia passionnément Velásquez, dessina des mendiants, des paysans, des enfants, des gardes, des soldats. Quand les Espagnols se soulevèrent contre la reine Isabelle II, il rejoignit les manifestants dans la rue, en chantant « La Marseillaise ». Il reçut du général Prim y Pratas commande d'un tableau représentant son entrée triomphale à Madrid, mais le général n'apprécia pas du tout ce splendide portrait équestre (musée d'Orsay, Paris) et le refusa. Regnault retourna à Rome, mais après les enthousiasmes de l'Espagne, il trouva la ville trop exploitée et encombrée d'étrangers et de guides pour touristes. Pendant les cinq mois qu'il y resta, il peignit son premier tableau d'ambiance exotique, *Judith et Holopherne* (musée des Beaux-Arts, Marseille) et commença l'ébauche d'une *Salomé* qu'il appela successivement *Hérodiade, Femme africaine, Esclave favorite* et *Poétesse de Cordoba*. Quoique sans le sou, il était décidé à voir l'Orient, et la première étape pour cela fut de retourner en Espagne avec Clairin. Le moment capital de ces derniers mois de 1869 fut Grenade, avec l'architecture hispano-mauresque de

son Alhambra, que Regnault trouva d'une beauté exaltante. Il acheta des douzaines de photos et fit de nombreux croquis des inscriptions, des délicats motifs en stuc et des azulejos, ceci pour son père, toujours intéressé par les techniques de la céramique. En septembre, le jeune artiste, étonnamment sensible et passionné, écrivait à un ami : « Clairin et moi, nous sommes destinés à avoir la vie courte. Nous menons une existence trop vagabonde, nous nous donnons trop de mal, nous avons trop d'ambitions, trop de désirs pour vivre vieux. Nous ne mourrons pas probablement tous deux ensemble. »

Regnault put enfin partir au Maroc à la fin de l'année, et loua avec Clairin une maison à Tanger, qu'ils décorèrent à l'orientale. Une jeune Marocaine de dix-sept ans, Aïcha Chamma, parvint à persuader des femmes musulmanes de poser pour eux, mais il leur était pratiquement impossible de croquer les gens dans la rue. Il fit deux ébauches rapides, *Intérieur de Tanger* et *Gynécée mauresque*, prit des leçons d'arabe, et termina *Salomé*, qu'il envoya à Paris pour le Salon de 1870. Il était légitimement satisfait de cette toile aux contrastes de couleurs puissants et très surprenants à l'époque. Les étoffes chatoyantes qui faisaient le charme exotique de ce tableau avaient été achetées à l'Exposition Universelle de Paris de 1867 et en Espagne. Il projeta bientôt un autre ouvrage important. « Je veux faire revivre les vrais Maures, écrivait-il, riches et grands, terribles et voluptueux à la fois, ceux qu'on ne voit plus que dans le passé. » Il fit venir de France une toile de très grandes dimensions, et se construisit un nouvel atelier dans les faubourgs de Tanger où il eut assez de place pour peindre *Exécution sans jugement sous les rois maures de Grenade* (musée d'Orsay, Paris). Dans ce tableau théâtral, l'harmonie des tons abricot, pêche et rouges n'atténue en rien la terrible violence de cette scène sanguinaire. Quand elle fut accrochée au musée du Luxembourg, on dit que des gens furent « si bouleversés par son horrible réalisme qu'ils furent pris de malaise ». Mais toute son œuvre n'était pas aussi outrée, et il fit des choses plus conventionnelles, comme *Départ pour la fantasia, La Sentinelle marocaine* et *Sortie du Pacha à Tanger*.

Quand la guerre avec l'Allemagne éclata, Regnault et Clairin se précipitèrent à Paris pour s'engager, bien que, en tant que pensionnaire de l'Académie de France à Rome, Regnault fût exempté. En janvier 1871, il fut tué au combat de Buzenval. Il n'avait pas eu le temps de réaliser beaucoup d'œuvres orientalistes, mais l'exposition rétrospective qui eut lieu en 1872 à l'École des Beaux-Arts révéla la variété des sujets qu'il avait traités, portraits, paysages, costumes, animaux et architectures. En avril de cette même année, cent cinquante huiles, aquarelles et dessins furent vendus aux enchères et acquis, entre autres, par le musée du Luxembourg, le comte de Louvencourt, la baronne Nathaniel de Rothschild et le baron Gustave de Rothschild.

« Exécution sans jugement sous les rois maures de Grenade », huile sur toile, signée et datée Tanger 1870, 302 × 146 cm. Musée d'Orsay, Paris.

Regnault
Tanger 1870.

153

David ROBERTS

Stockbridge 1796-Londres 1864
École écossaise

Sous le Grand Portique, Philae, crayon, aquarelle et gouache sur papier couleur chamois, signé, titré et daté Philae, Nov. 18th 1838. Anc. The Fine Art Society, Londres.

*D*avid Roberts, spécialiste des architectures et des paysages précis, fut un des premiers artistes indépendants à se rendre de lui-même au Proche-Orient. Inconfort, difficulté et danger furent son lot dans ce voyage qui lui valut la renommée et en fit un des peintres les plus en vue de son époque, tant en Grande-Bretagne que sur le continent. De famille modeste (son père était cordonnier), Roberts fut pendant sept ans apprenti chez un peintre en bâtiment d'Édimbourg avant de devenir peintre de décors pour le théâtre écossais. En 1822, il se rendit à Londres et travailla pour les théâtres de Drury Lane et de Covent Garden, et exécuta des panoramas et des dioramas, tout en trouvant le temps de peindre pour lui-même. Il exposa pour la première fois en 1824 à la Society of British Artists. Dès que ses œuvres commencèrent à se vendre, il abandonna définitivement le théâtre, à l'exception des décors qu'il conçut pour plusieurs pièces de Charles Dickens. A la fin de 1832, il alla en Espagne, dont l'architecture, avait-il remarqué, avait jusqu'alors été ignorée des peintres anglais. Au printemps suivant, il était à Tanger et Tétouan. Son album de lithographies d'Espagne fit sa renommée. En outre, ses aventures marocaines aiguisèrent son appétit pour d'autres voyages en Orient.

A cette époque, la curiosité des érudits à l'égard de l'antiquité classique était détrônée par un intérêt grandissant pour les anciennes civilisations du Moyen-Orient, proches de l'histoire biblique, et donc d'un grand intérêt pour les Anglais de l'ère victorienne. D'autre part, l'architecture musulmane, bien que commençant à intéresser les Européens, était encore peu connue. Depuis longtemps, Roberts rêvait de ce grand voyage aventureux : il s'embarqua enfin pour Alexandrie en 1838.

servant qu'à souligner le colossal des monuments. En février 1839, il partit pour le Sinaï, Petra, Jaffa, Jérusalem (récemment en quarantaine en raison d'une épidémie de peste), Nazareth, Saint-Jean-d'Acre, Tyr et Sidon, puis, de là, alla au Liban et à Baalbek. La fièvre l'empêcha de pousser à Damas et Palmyre. Après onze mois d'absence, Roberts rentra en Angleterre avec des centaines de dessins et d'études à

Pendant plusieurs mois, il explora la Haute-Égypte et la Nubie, prenant des croquis, écrivant des lettres et son journal. Le degré de désolation et d'abandon de ces ruines égyptiennes l'impressionna profondément et, bien qu'il craignît de les avoir peut-être trahies, il réussit pleinement à transmettre son impression d'écrasement, particulièrement par l'adoption d'un point de vue bas pour mettre en valeur la dimension surhumaine de ses modèles, les petits groupes de personnages au premier plan ne

Suez, lithographie colorée à la main, datée Suez Feb 11th 1839. Anc. Mathaf Gallery, Londres.

l'huile. Comme chez beaucoup de dessinateurs topographiques, ces travaux, rapides et nerveux, comportaient assez de détails pour servir de base à des gravures ou des œuvres d'atelier. En outre, il avait le don rare de pouvoir peindre d'après des études faites des années auparavant. De 1842 à 1849, ses gravures en couleurs, lithographiées par Louis Haghe, furent publiées en une série de six volumes, *Views in the Holy Land, Syria, Idumea, Arabia, Egypt and Nubia*. Ces albums, maintenant souvent séparés, firent sa fortune, car c'étaient les premières images de la Terre Sainte proposées au public anglais.

Il reçut nombre de commandes pour réaliser, d'après ses études, des œuvres à l'huile, mais elles manquent souvent du brio des premières notations sur le vif. Roberts avait voulu, pour son voyage au Proche-Orient, un style grandiose, remontant le Nil sur un bateau de location avec huit hommes d'équipage, ou traversant le désert, vêtu à l'orientale, avec une caravane de vingt et un chameaux. Élu correspondant de la Royal Academy en 1839, puis membre en 1841, il peignit des scènes orientales jusqu'à la fin de sa vie.

Les Ruines du temple du Soleil à Baalbek, huile sur toile, signée et datée 1842, 150 × 241 cm. Collection particulière.

A droite : *Monastère de Sainte-Catherine avec le mont Horeb, crayon, aquarelle et gouache sur papier coloré, signé, titré et daté Feb 19th 1839. Collection particulière.*

Charles
ROBERTSON

1844-Walton-on-Thames 1891
École anglaise

*Le Marchand de sabres, huile sur toile,
monogrammée et datée 1877,
38 × 24,5 cm. Anc. Mathaf Gallery,
Londres.*

*C*omme tant de ses compatriotes, Charles Robertson fut réputé pour la perfection de ses aquarelles. Après des études à Londres, il passa quatre ans à Aix-en-Provence, où il entendit parler des possibilités qu'offrait aux jeunes artistes l'Algérie, la plus proche des possessions françaises. Il fit un voyage en Afrique du Nord en 1862, âgé de dix-huit ans, et exposa l'année suivante, à la Royal Academy, sa première œuvre orientaliste. Puis ce furent de nombreux voyages : lacs italiens en 1866 et 1867, Turquie et Terre Sainte en 1872, Égypte et Tanger en 1876. Et pas des voyages éclairs : certains durèrent des mois, et même des années. Le dernier eut lieu en 1889, en Égypte, Jérusalem, Damas, Turquie, Italie et Espagne. Son intention était de faire assez d'aquarelles pour présenter une importante exposition ; mais celle-ci n'eut lieu qu'après sa mort prématurée, à The Fine Art Society de Londres, qui groupa un total de cent trente œuvres.

Jusqu'en 1880, Robertson avait peint exclusivement à l'huile, mais après 1884, il ne fit que de l'aquarelle. Il devint si vite un virtuose dans ce difficile moyen d'expression qu'il fut élu membre de la Royal Watercolour Society. Il fit aussi régulièrement des envois à la Royal Academy et à la New Watercolour Society, et devint vice-président de la Royal Society of Painters and Etchers.

L'œuvre de Robertson, riche en couleurs, en détails, souvent datée,

comporte des titres tels que *Un Khan à Damas*, *Magasin de fruitier à Tanger*, *Le Mont des Oliviers vu de Jérusalem*, *Les Chaussures des fidèles*, et *Marchand de melons au Caire*. Ce sont là des scènes de rues courantes et des paysages ramenés de ses voyages. Mais il fit aussi plusieurs tableaux d'imagination, tels *La Douleur du Pacha*, d'après le poème de Victor Hugo dans *Les Orientales* et *Sindbad dans la vallée des diamants* d'après les *Mille et Une Nuits*.

Conteur, Maroc, aquarelle, monogrammée et datée 1883, 60 × 129 cm. Anc. Mathaf Gallery, Londres.

En haut : *Vente de tapis au Caire, aquarelle, signée, 78,7 × 134,5 cm. Anc. Mathaf Gallery, Londres.*

Giulio ROSATI

Rome 1858-Rome 1917
École italienne

Cavalier dans un campement, aquarelle, signée, 52,5 × 35 cm. Anc. Mathaf Gallery, Londres.

*I*ssu d'une famille plus versée dans la carrière militaire et la banque que dans les arts, Rosati reçu sa formation à l'Academia di San Luca. Il se lassa rapidement de la discipline académique et quitta ses professeurs, Dario Querci et Francesco Podesti, pour rejoindre les étudiants du peintre espagnol Luis Alvarez Catala. Rosati devint l'un des peintres orientalistes les plus prolifiques de son époque, peignant de nombreuses aquarelles qui mettaient l'accent sur la noblesse de la culture musulmane. Or, il n'a jamais entrepris de voyage au Maghreb et son information reposait entièrement sur les photographies, les gravures et les objets orientaux disponibles à Rome. Il participait rarement à des expositions et vendait directement ses tableaux à son marchand ; beaucoup de ses œuvres furent acquises par des collectionneurs anglais, français et américains.

Alberto Rosati, son fils, peignit dans le même style, mais fut moins fécond.

En haut à droite : *La Partie de tric-trac, aquarelle, signée, 35,5 × 53,4 cm. Anc. Mathaf Gallery, Londres.*

En bas à droite : *Le Marchand de tapis, aquarelle, signée, 45,7 × 58,5 cm. Anc. Mathaf Gallery, Londres.*

161

Adolf
SCHREYER

Francfort-sur-le-Main 1828-Cronberg 1899
École allemande

Guerriers arabes à cheval, huile sur toile, signée, 82,5 × 69 cm. Collection particulière.

Spécialisé dans la représentation de cavaliers et chevaux dans des décors ruraux de l'Europe orientale ou d'Afrique du Nord, Adolf Schreyer avait un énorme succès au sein de l'aristocratie allemande aussi bien qu'auprès des millionnaires américains amateurs, tels Vanderbilt, Astor, Rockefeller et Morgan. Après une formation à Francfort, Stuttgart, Munich et Düsseldorf (y compris équitation et anatomie du cheval), Schreyer voyagea en 1848 et 1849 avec le prince Thurn et Taxis, à travers la Hongrie, la Valachie et la Russie méridionale. En 1855, comme dessinateur de guerre, il suivit le régiment que commandait le prince à la guerre de Crimée. En fait, il n'alla pas jusqu'en Crimée, mais aux bouches du Danube, la zone de l'armée autrichienne dans le conflit. En 1856 ou 1859, il alla en Syrie et en Égypte, en 1861, à Alger, et acquit une parfaite connaissance de plusieurs dialectes arabes, se mêlant totalement à la vie des Bédouins. Il s'établit à Paris jusqu'à la déclaration de la guerre franco-allemande qui l'obligea à en partir. Il s'installa alors à Cronberg, mais revenait parfois à Paris. Peintre à la cour du grand-duc de Mecklembourg, Schreyer exposait au Salon de Paris et dans d'autres villes d'Europe, et fut membre des académies d'Amsterdam et de Rotterdam. Plusieurs musées allemands et américains possèdent des œuvres de lui.

Tout au long des trente ans de sa carrière, Schreyer continua à peindre des paysages de neige de Valachie, de Moldavie, des paysans russes, des soldats avec leurs chevaux, qu'il avait vus dans sa jeunesse. Ces scènes étaient aussi appréciées que ses cavaliers arabes, au début représentés en pleine action, mais plus tard chevauchant calmement par des terrains rocailleux, seuls ou en petits groupes. Ses sujets sont à l'évidence inspirés par Fromentin –

certaines des nombreuses copies faites, à l'époque, des œuvres de Schreyer ont pu même être signées Fromentin – mais ses personnages sont en général en premier plan, pas à mi-distance comme c'est souvent le cas chez Fromentin. La gamme des couleurs est caractéristique : rouge et blanc pour les vêtements, rouge pour les rênes et harnais, ciel bleu pâle avec nuages boursouflés, sol brun, rouille et ocre. Dans ses bons jours, ses tableaux sont d'une verve et d'une virtuosité indiscutables ; dans ses mauvais jours, ce sont plutôt de lourdes répétitions de thèmes rebattus.

Bédouins à cheval, huile sur panneau, signée, 68,5 × 100,5 cm. Collection particulière.

Thomas
SEDDON

Londres 1821-Le Caire 1856
École anglaise

Richard Burton en costume arabe,
aquarelle, signée et datée 1854,
28,2 × 20 cm. Anc. The Fine Art Society,
Londres.

*T*homas Seddon eut beaucoup d'affinité avec les peintres pré-raphaélites, et les quelques peintures qu'il fit du Proche-Orient avant sa mort prématurée sont, par leur sensibilité, plus proches de ce groupe que du mouvement orientaliste. Fils d'un ébéniste en renom, il visita Paris, Barbizon, puis Dinan, et exposa à la Royal Academy en 1852. Il partit à la fin de 1853 pour Le Caire, où il rencontra Edward Lear dont « les conseils de voyageur plein d'expérience ont été très précieux ». Il rencontra aussi Richard Burton, linguiste et arabisant érudit, esprit brillant rejetant les conventions et les contraintes, un des hommes les plus fascinants de l'époque. Il peignit Burton en costume arabe et une lithographie réalisée d'après ce portrait illustra le récit que fit l'explorateur de son audacieux et dangereux voyage à La Mecque, *Personal Narrative of a Pilgrim to Al Madinah & Meccah* (1855). Après l'exposition, par the Fine Art Society, de la version à l'aquarelle de ce portrait (Londres, 1978), le tableau à l'huile, laissé par Seddon en Égypte, fut retrouvé dans une collection privée.

Au printemps de 1854, Seddon quitta Le Caire pour la Palestine en compagnie de Holman Hunt, adepte du Préraphaélisme. Ce voyage avait pour Seddon deux buts : observer la technique de Holman Hunt et éviter d'entrer dans l'entreprise de son père. Bien qu'il manquât des raisons hautement spirituelles qui attiraient Hunt en Terre Sainte, Seddon (selon son frère) expiait, en peignant des paysages bibliques, « un penchant pour le plaisir et la dissipation qu'il avait acquis à Paris. » C'est pendant ce voyage que Hunt peignit sa fameuse œuvre symbolique *Le Bouc émissaire*.

Seddon rentra à Dinan en novembre 1854 et s'occupa de l'organisation d'une exposition particulière de ses œuvres à Londres pour l'année suivante. Le critique et théoricien John Ruskin en fut enthousiaste et, après la mort de l'artiste, il lança une souscription pour offrir à la nation son œuvre maîtresse, *Jérusalem et la vallée de Josaphat vues du Mont de la Tentation*, maintenant à la Tate Gallery. Une réplique à l'aquarelle

même année. Déjà fatigué par une fièvre rhumatismale, il tomba malade et mourut. Une exposition de ses œuvres eut lieu à la Society of Arts, à Londres, en 1857. Ruskin y fit un discours soulignant que si Seddon avait peut-être abandonné sa technique « soigneuse, appliquée, consciencieuse et poétique », il restait, du fait de sa mort précoce, « le plus pur peintre de paysage pré-raphaélite ».

de cette composition, qui est à l'Ashmolean Museum d'Oxford, fut exécutée sur une photographie soit du paysage lui-même, soit du tableau à l'huile. Seddon exposa ses œuvres *Cheik arabe et tentes dans le désert égyptien*, et *Intérieur d'un deewan, anciennement propriété du patriarche copte, près de l'Ezbekieh, au Caire*, à la Royal Academy, en 1856. Il retourna au Caire cette

Dromadaire et Arabes dans la Cité des Morts, au Caire, avec la tombe du Sultan Barkook à l'arrière-plan, huile sur toile, signée et datée Egypt 1854, 28 × 35,5 cm. Anc. The Fine Art Society, Londres.

Giuseppe
SIGNORINI

Rome 1857-Rome 1932
École italienne

*Guerrier au chapeau rouge, aquarelle,
signée et située Roma, 68 × 42 cm. Anc.
collection Alain Lesieutre, Paris.*

*E*n 1889, Signorini entra à la
Scuola di Geometria de l'Academia
di San Luca à Rome, sa ville natale.
Il devint plus tard l'élève de l'artiste
romain Aurelio Tiratellim, qui lui fit
connaître les plus célèbres artistes
italiens de l'époque. Il se sentait un
goût croissant pour la peinture de
Salon et se rendait fréquemment à
Paris où il pouvait admirer les
œuvres de l'orientaliste espagnol
Mariano Fortuny y Marsal, d'Ernest
Meissonier et de Jean-Léon Gérôme.
De 1899 à sa mort, Signorini garda
deux ateliers, l'un à Rome, l'autre à
Paris, partageant son temps entre les
deux capitales. Brillant aquarelliste,
très demandé par les collectionneurs
européens et américains, il se
spécialisa dans des portraits, puis des
scènes d'élégants du XVIIIᵉ siècle,
de cardinaux bons vivants, de
fringants mousquetaires, mais aussi
de personnages du Maghreb et du
Proche-Orient. Pendant les années
1880, Signorini joua à Rome un rôle
important dans la popularisation de
thèmes du monde musulman ; il
possédait lui-même une importante
collection d'objets d'art et de textiles
islamiques. Son œuvre connut une
grande popularité après sa mort et
des expositions eurent lieu à Milan
en 1949 et 1950, et à Turin en 1946
et 1970.

En haut : *Marché, aquarelle, signée et située Roma, 14,4 × 22 cm. Anc. Mathaf Gallery, Londres.*

En bas : *Scène de marché au Caire, huile sur toile, signée et située Cairo, 58,4 × 86,4 cm. Anc. Mathaf Gallery, Londres.*

Robert
TALBOT KELLY

Birkenhead 1861-Londres 1934
École anglaise

*F*ils d'un peintre paysagiste né à
Dublin, Robert George Kelly, Il
grandit dans une famille nombreuse.
Bien qu'il ait quitté l'école de bonne
heure, en 1876, pour un emploi chez
des courtiers en coton de Liverpool,
ses parents encouragèrent ses
aptitudes pour la peinture et la
musique. Il étudia avec son père et
exposa ses premières œuvres sous le
nom de R.G. Kelly, Junior. Au début
des années 1880, ses employeurs
l'envoyèrent en croisière pour se
remettre d'une période de surmenage.
Ce voyage fut un tournant dans sa vie.
Il quitta son emploi, adopta un ancien
nom de sa famille, Talbot (afin
d'éviter une confusion avec le nom de
son père ; plus tard, on se référa
parfois à lui comme Talbot-Kelly).
Il voyagea en Afrique du

Caravane, aquarelle, signée et datée 1893,
28 × 54,5 cm. Anc. Mathaf Gallery,
Londres.

Nord, apprit l'arabe et s'installa en
Égypte, qui devint sa seconde patrie.
Il avait un atelier au Caire et parlait
couramment l'arabe ; il vécut un
temps chez les Bédouins. Bien qu'il
soit resté quelques années en
Angleterre après son mariage, il passa
la plus grande partie de son temps en
Égypte jusqu'en 1915. En 1902, la

publication de son ouvrage *Egypt painted and described by R. Talbot Kelly*, illustré de ses peintures, assura sa renommée comme artiste et voyageur. Au Caire, il recevait des commandes de dignitaires et de membres de l'aristocratie. Il fut membre de la Royal Society of British Artists, du Royal Institute of Painters in Watercolours et de la Royal British Colonial Society of Artists. En 1903-04, il alla en Birmanie à la demande du gouvernement.

accablante, il souligne la relation entre l'homme et l'impitoyable désert. Une de ses œuvres importantes, *La Fuite du Khalife après sa défaite à la bataille d'Omdurman*, fait partie de la collection de la Walker Art Gallery de Liverpool ; la Williamson Art Gallery de Birkenhead possède des aquarelles, dont *Lac Oriental* (1892), *Sur le Nil* (1903), *Village du Nil* (1911), *Le Chasseur* (1912). Kelly quitta l'Egypte durant la Première Guerre mondiale.

Kelly était surtout un excellent aquarelliste, qui obtenait ses effets atmosphériques par des dégradés subtils de ses teintes – rose, jaune pâle, chamois et bleu coquille d'œuf. Dans ses tableaux de cavaliers solitaires enveloppés par l'immensité des sables, ou de Bédouins marchant dans la lumière brutale et la chaleur

A la mosquée, Le Caire, aquarelle, signée et datée 1897. Anc. Mathaf Gallery, Londres.

Charles-Émile
VACHER DE TOURNEMINE

Toulon 1812-Toulon 1872
École française

*L*es tableaux orientalistes de Charles Vacher de Tournemine sont typiques de la plupart de ceux qui furent exposés au Salon de Paris dans les années 1850 et 1860 ; scènes d'un genre agréable aux coloris riches qui plaisaient au public, mais exaspéraient les critiques... « Chacun s'est mis dans son coin de faire de l'Orient et de la couleur », écrivait de Lagenvais. Il est sûr que nombre de ces « néo-coloristes » – ainsi les raillait-on – peignaient l'Orient sans y avoir jamais mis les pieds ; Vacher de Tournemine fut, lui, un grand voyageur.

Engagé dans la Marine de 1825 à 1831, il toucha divers pays méditerranéens, prit part à la bataille de Navarin, puis à la prise d'Alger ; il visita ensuite les Baléares, l'Asie Mineure, Chypre, le Liban et l'Égypte. Encore neuf années de service, cette fois dans l'armée de terre, puis il entra à l'atelier d'Isabey. A partir de 1846, Vacher de Tournemine exposa au Salon, présentant des œuvres rapportées d'un long séjour en Bretagne.

Toutefois, à partir de 1852, ses tableaux eurent presque exclusivement des sujets orientaux. Nombreuses sont les variations sur son thème favori : calmes villages ou petites maisons au bord de l'eau, le ciel d'azur et les murs blancs et ocres mis en valeur par les vêtements rouge et turquoise de petits personnages. Le plus connu d'entre eux est maintenant au musée du Louvre, *Habitations turques près d'Adalia, Asie Mineure*. D'autres voyages suivirent, Algérie et Tunisie en 1853, Danube et Balkans en 1860, et, en 1863, Asie Mineure, où il parcourut des régions à la fois dangereuses et peu visitées. Pendant qu'il séjournait à Adramitti, il vit une procession de mariage qu'il décrivit comme suit : « Voici un cortège de noces turques », écrit-il dans une lettre de juillet 1863. « Des zeïbecks ouvrent la marche, porteurs d'étendards rouges et jaunes auxquels sont accrochés les châles et les écharpes de la mariée ; ils sont suivis par trois individus frappant sur de grosses caisses et accompagnés de flûtes suraiguës à vous faire prendre la fuite. Vient ensuite le marié suivi de tous ses amis. De temps en temps on s'arrête, et l'un d'eux porte dans une maison un petit pain de sucre :

c'est là le mode d'invitation pour le repas de noces... et les danses burlesques recommencent de plus belle. »

Son dernier voyage le mena en Égypte en 1869, pour l'ouverture du canal de Suez et, bien qu'il exposât à partir de 1868 des tableaux de l'Inde, il n'y alla en fait jamais : temples, scènes de chasse, festivités, ces œuvres étaient de pure imagination. Créateur d'une revue très connue, *Les Artistes contemporains*, qui diffusa l'art français en Europe, eût du succès auprès des collectionneurs étrangers car, d'après le catalogue de la vente d'atelier posthume, en 1873, ses œuvres étaient déjà rares, et il y en avait peu en France.

Une certaine confusion a toujours existé, dans les notices biographiques, à propos de son nom. Bien que l'artiste signât Ch. de Tournemine, il était en fait fils naturel de Bernard Vacher de Tournemine, mais enregistré à la naissance comme de Tournemire.

Vacher de Tournemine fut, pendant la Commune, attaché au musée du Luxembourg, qui abritait des œuvres d'artistes vivants ; il eut alors à éviter tout dommage aux collections, et fut ensuite nommé conservateur-adjoint. Il était depuis quelque temps sur les listes de l'Administration et, en neuf ans, cinq de ses tableaux furent acquis par l'État à d'assez jolis prix. Certains ont été remis à des musées de province (Montpellier, Toulon, Marseille). Il semble que Vacher de Tournemine

Maisons au bord de l'eau, Asie Mineure, huile sur panneau, signée, 55 × 100 cm. Collection particulière.

Horace VERNET

Paris 1789-Paris 1863
École française

*D*e tous les peintres militaires français du dix-neuvième siècle, Horace Vernet fut probablement le plus admiré. Chanceux dès le berceau (il naquit dans le palais du Louvre), il acquit rapidement renommée et fortune. Il était le dernier de la « dynastie Vernet » : son père, Carle Vernet, peintre de chevaux et de batailles, était le fils de Joseph Vernet, peintre de marine du dix-huitième siècle. Aussi toutes les portes s'ouvraient-elles devant lui. Il obtint une médaille de première classe à vingt-deux ans, fut chevalier de la Légion d'honneur à vingt-cinq, Membre de l'Institut à trente-six, et directeur de l'Académie de France à Rome à trente-huit. Bien que les Vernet fussent traditionnellement royalistes, Horace se rallia à Napoléon et à l'Empire, puis se mit avec les libéraux sous la Restauration (ce qui ne l'empêcha pas d'obtenir une commande officielle de Charles X). La révolution de 1830 porta son protecteur et ami personnel, Louis-Philippe, sur le trône, ce qui aida sérieusement sa carrière. Plus tard, après les événements de 1848, il adhéra un court moment à la République, puis se retrouva peintre officiel du Second Empire. Opportunisme ? Retournement de veste ? Il eut certainement une extraordinaire facilité à s'adapter aux différents régimes et à rester toujours très en vue.

Jeune, Vernet s'était jeté à fond dans le mouvement romantique. Il peignait avec force et exubérance, dans des couleurs chaudes et vibrantes, des batailles médiévales ou modernes, des allégories, la frénésie des chevaux sauvages et des sujets inspirés d'auteurs tels que Byron et Victor Hugo (*Mazeppa*, 1825, *Giaour*, 1827). Mais le peintre des scènes guerrières, impétueuses et tragiques, qu'admirait tant Stendhal au Salon de 1824, fit évoluer son style après sa nomination à la tête de l'Académie de France en 1828. Ayant obtenu du roi l'autorisation de quitter Rome, il fit en 1833 le premier de plusieurs voyages en Algérie, en compagnie de l'artiste anglais William Wyld. Il sentit que l'Afrique était le pays de l'avenir, « une mine d'or pour la France », et acquit de vastes terrains à Ben-Koula. Convaincu que gestes et attitudes chez les Arabes n'avaient pas évolué depuis des millénaires et qu'il assistait sur le vif à des scènes de la Bible, il se mit à peindre des scènes religieuses d'après la vie des nomades qu'il voyait. Débutant par le *Conteur arabe* exécuté en 1833 pour le comte de Pembroke, il répudia la technique romantique violente et souple pour la précision aiguë et l'exact détail ethnographique qu'il apporta à ses scènes orientales et bibliques. Cette pratique d'habiller de vêtements arabes modernes des personnages bibliques : *Agar chassée par Abraham* (1837, musée des Beaux-

Arts, Nantes), *Juda et Tamar* (1840, Wallace Collection, Londres), *Les Vêtements de Joseph*, 1853, déplut au public et il dut défendre ses idées devant l'Académie, à l'aide de documents rassemblés durant ses voyages. En 1848, il publia un article dans *L'Illustration*, « Des rapports qui existent entre le costume des anciens Hébreux et celui des Arabes modernes ».

En 1835, Vernet fut remplacé à Rome par Ingres, et rentra en France alors que Louis-Philippe venait de créer un musée d'histoire militaire à Versailles. Vernet fut chargé d'en décorer une des principales galeries, pour laquelle il exécuta des épisodes de la conquête de l'Algérie, *Le Siège de Constantine, Combat de l'Habrah* et la fameuse *Prise de la smalah d'Abd-el-Kader*, d'une longueur affolante : 21,39 m !

L'originalité de ces grandes toiles de

« La Bataille d'Isly », huile sur toile, signée, 49 × 60 cm. Collection particulière.

Vernet consistait surtout en la suppression du héros central – qui était une tradition – alors que le dernier des fantassins jouait son rôle dans ces immenses compositions bourrées de petites actions d'égal intérêt. Exposée au Salon de 1845, la *Smalah* attira des foules énormes – et de sévères critiques. « C'est tout un roman... mais composé d'une série de feuilletons », « les peintres de batailles se transforment en rédacteurs de bulletins », étaient parmi les plus aimables.

Ses voyages – plusieurs en Algérie, au Maroc, en Égypte, Syrie, Palestine et Crimée – n'étaient pas toujours d'un grand confort. De fait, il prenait tout moyen de transport disponible, navire, charrette,

« *Les Vêtements de Joseph* », huile sur toile, haut arrondi, signée et datée *Afrique 1853, 140 × 104 cm. Wallace Collection, Londres.*

traîneau, cheval, chameau, mulet, dormait sous la tente ou même à la belle étoile. Mélange d'aventurier et d'artiste officiel, il eut une grosse production (quelque cinq cents tableaux et deux cents lithographies, selon Lagrange). Professeur à l'École des Beaux-Arts, il eut une énorme influence sur les organismes artistiques de son époque, jury, salons et concours, et recevait de nombreuses commandes de l'État, de la grande bourgeoisie et d'officiers de hauts grades. Il fut néanmoins l'objet, tant dans sa personne que dans son œuvre, de nombreuses attaques féroces, de son vivant et après sa mort.

« Chasse au lion », huile sur toile, signée et datée 1836, 57 × 82 cm. Wallace Collection, Londres.

Émile
VERNET-LECOMTE

Paris 1821-Paris 1900
École française

*I*l y a toujours eu une certaine confusion à propos du nom de cet artiste, dont les œuvres saisissantes ont été présentées dans plusieurs expositions récentes en Europe et en Amérique. Fils du peintre militaire Hippolyte Lecomte, qui avait épousé Camille, la fille du fameux artiste Carle Vernet, Émile Lecomte était par conséquent neveu du peintre Horace Vernet. Il étudia avec son oncle avant de débuter au Salon de 1843 sous le nom de Émile Lecomte. Il prit plus tard le nom de Vernet-Lecomte, dont il signa ses œuvres. Les catalogues du Salon, toutefois, souvent imprécis sur l'orthographe, l'inscrivirent incorrectement, plusieurs années, comme Lecomte-Vernet, avant d'intervertir les composants. Cette erreur a été reprise dans plusieurs dictionnaires des arts, ainsi que la mauvaise date de sa mort, 1874.

Vernet-Lecomte aborda une grande variété de sujets, portraits mondains, tableaux religieux (plusieurs commandes pour la décoration d'églises de Paris ou de bâtiments administratifs) et thèmes orientalistes, dont les premiers, *Tête de Syrien* et *Femme syrienne,* furent exposés au Salon de 1847. C'étaient souvent de hardies compositions de femmes d'une grande beauté, seules, comme *Jeune fille syrienne jouant avec une panthère* (1850), *Femme fellah portant son enfant, Égypte* (1864), *Une Almée, Égypte* (1866) et *Jeune fille maronite, Asie Mineure* (1867). Il présenta aussi des épisodes du siège de Sébastopol et de l'expédition française de Syrie en 1860, après le massacre des chrétiens par les Druses. Bien qu'on n'ait pas de renseignements sur ses voyages, il est plus que probable qu'il voyagea effectivement : une huile (vendue à Drouot en 1976) peinte au Caire en 1863, et signée Émile Lecomte, montre un artiste européen sous un grand arbre, en train de dessiner un campement.

Femme berbère, huile sur toile, signée et datée 1870, 122 × 87 cm. Collection particulière.

Georges
WASHINGTON

Marseille 1827-Douarnenez 1901
École française

*Le Porte-étendard, huile sur toile, signée,
73 × 60 cm. Anc. collection Alain
Lesieutre, Paris.*

*F*ils naturel, Washington fut
déclaré à sa naissance sous le nom
du héros américain tant admiré par
son père. Il fut élevé par sa tante, qui
souhaitait le voir entrer dans l'affaire
familiale, mais Washington n'était
guère attiré par le négoce. Passionné
par la peinture, il devint l'élève de
François-Edouard Picot. Mais il
trouva cet enseignement des Beaux-
Arts conventionnel étouffant et
entreprit un voyage en Algérie. De
retour à Paris, il épousa Léonie, fille
du peintre d'histoire Félix
Philippoteaux. En 1879, Washington
partit pour le Maroc afin de
rassembler les études nécessaires à la
réalisation d'un Panorama de
Tétouan qui lui avait été commandé.
Une autre commande de la même
entreprise belge l'amena à voyager à
travers la Hongrie, la Bulgarie, la
Turquie, l'Arménie et le Caucase.
Ses immenses toiles terminées,
Washington les accompagna à
Moscou en 1881, où elles furent
présentées à un public payant. A

Paris, il chargea des marchands, tels Durand-Ruel et Bernheim, de vendre ses tableaux orientalistes.

En 1884, nanti d'un héritage qu'il fit à la mort de Philippoteaux, Washington mit un bon nombre de ses œuvres en ventes aux enchères à Drouot et, avec sa femme, se lança dans l'aventure d'une exploitation agricole en Bretagne. Celle-ci s'avéra désastreuse et, se trouvant dans une situation financière désespérée, il partit en 1888 pour New York où on lui avait encore commandé un Panorama. Même si, sur place, il vendit bien ses tableaux de chevalet, il rentra en France pour faire face à la faillite. Installé dans un modeste atelier à Montmartre, il peignit sans cesse de mémoire des scènes de cavaliers algériens. Il passa les dernières années de sa vie à Douarnenez, en Bretagne, avec sa fille et son gendre.

Halte des cavaliers, huile sur toile, signée, 72,5 × 95 cm. Anc. Gallery Keops, Genève.

Rudolf
WEISSE

Usti, Bohème 1869
École bohémienne

W eisse, élève de l'Akademie der
Bildenden Kunst à Vienne, participa
de temps à autre aux Salons de la
Société des Artistes Français à Paris
entre 1889 et 1927. Lors de
l'Exposition Universelle de 1889, on
lui décerna une médaille d'honneur
pour ses deux toiles présentées dans
la section Autriche-Hongrie, *Après
la guerre* et *Portrait de femme*. En
1920, il décrocha une médaille d'or à
Vienne. Les tableaux orientalistes de
Weisse représentent surtout la vie
quotidienne au Caire, dans un style
académique très proche de celui des
artistes d'origine autrichienne,
Ludwig Deutsch et Rudolf Ernst, qui
habitaient également Paris.
On ne doit pas confondre Weisse
avec son homonyme suisse, Johann
Rudolf Weiss, né en 1846, qui
voyagea au Proche Orient.

*Le Marchand de curiosités orientales, huile
sur panneau, signée et datée Paris '87,
59 × 48,2 cm. Anc. Mathaf Gallery,
Londres.*

*Prière dans une mosquée, huile sur
panneau, signée et datée Paris, '86,
61 × 49 cm. Anc. Mathaf Gallery, Londres.*

Carl
WERNER

Weimar 1808-Leipzig 1894
École allemande

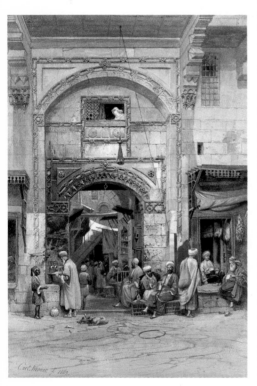

L'Entrée au bazar, aquarelle, signée et datée 1863, 50 × 35 cm. Anc. Mathaf Gallery, Londres.

*C*arl Werner fut l'élève à l'Académie de Leipzig de Schnorr von Carolsfeld, peintre d'histoire lié avec les artistes du groupe nazaréen. En 1829, il alla à Munich pour étudier l'architecture, mais revint à la peinture deux ans plus tard. Ayant gagné une bourse de voyage, il partit en Italie et y resta près de vingt ans. Werner fut bientôt connu comme un des meilleurs techniciens européens de l'aquarelle et ouvrit un atelier d'enseignement à Venise.

Outre de fréquents voyages en Angleterre, il visita l'Espagne en 1856-57, puis fit une longue tournée en Égypte et Palestine de 1862 à 1864. Son album *Vues du Nil par Carl Werner*, publié en 1875, comprenait des aquarelles faites à cette époque. Il fit quelques splendides aquarelles à Jérusalem, en particulier du Dôme du Rocher. Il peignit l'édifice de près, à la différence de la plupart des voyageurs qui le voyaient de loin, comme partie d'une vue générale de Jérusalem. Il eut aussi la possibilité de peindre à l'intérieur, chance rare, car ce sanctuaire avait toujours été d'accès difficile pour les non-musulmans.

Membre des Académies de Venise et de Leipzig (il fut professeur à cette dernière institution), Werner exposa son travail en Italie, Allemagne et Angleterre, particulièrement à la New Watercolour Society, à Londres. Ses œuvres, avec des titres tels que *Vue de Beyrouth, L'île de Philae, Mosquée à Damas, Le Jourdain près de Jéricho* et *La Porte de la Justice au Caire*, sont réparties dans beaucoup de musées européens. Werner fit d'autres voyages, en Grèce et en Sicile et, en 1891, à quatre-vingt-trois ans, il rentra à Rome, puis à Leipzig, où il mourut.

En haut : *Le Rocher sacré, Jérusalem, aquarelle, signée et datée 1866, 35 × 50,2 cm. Anc. Mathaf Gallery, Londres.*

En bas : *Vue de Jérusalem, aquarelle, signée et datée 1864, 30,5 × 53,5 cm. Anc. Mathaf Gallery, Londres.*

Charles WILDA

Vienne 1854-Vienne 1907
École autrichienne

*C*harles Wilda étudia à l'Académie des Beaux-Arts de Vienne, avec Leopold Carl Müller, qui avait une influence considérable sur ses élèves. Outre le conseil pressant d'aller en Égypte, il leur inculquait de solides notions de peinture académique. Dans les années 1880, Wilda fréquenta Le Caire, où il avait un atelier. Comme ses compatriotes Swoboda et Kosler, il vendait ses œuvres aux touristes, particulièrement aux Anglais hivernant en Égypte. De fait, la demande pour le genre orientaliste était si grande que Müller conseillait à ses élèves de poursuivre dans cette voie, assurés qu'ils étaient de bien gagner leur vie. Wilda partagea un atelier à Paris avec son ami Arthur von Ferraris et, en 1889, les deux artistes présentèrent des tableaux de mosquées cairotes au Salon de la Société des Artistes Français. Participant à l'Exposition Universelle de 1900 dans la section autrichienne, Wilda obtint une médaille d'or pour son *Prophète*

Le Diseur de bonne aventure, huile sur toile, signée et datée Cairo 1894, 58,5 × 81,3 cm. Anc. Mathaf Gallery, Londres.

arabe. Outre ses artisans au travail et ses marchands ambulants, il peignit aussi des tableaux d'architectures, dont *Avant-cour d'une mosquée au Caire* et *Entrée de la mosquée*

Aqualaoun-el-Elfi au Caire. Au
nombre d'autres œuvres, *Voyant
arabe*, pour lequel il reçut le
Kaiserpreis en 1895, et *Lavandières
sur le Nil.*

*Au bord de l'eau, huile sur toile, signée et
datée 1897, 91,5 × 67,4 cm. Anc. Mathaf
Gallery, Londres.*

William WYLD

Londres 1806-Paris 1889
École anglaise

La Rue Bab-a-Zoun, Alger, aquarelle, signée, 71 × 43,3 cm. Anc. Mathaf Gallery, Londres.

William Wyld vint à Alger trois ans seulement après son occupation par les Français, mais, à la différence des artistes suivant l'armée, qui voyaient l'Algérie avec des yeux de conquérants, lui ne fut intéressé que par les scènes intimistes du quotidien, les cafés, les souks, le port.

Issu d'une famille de négociants londoniens, Wyld débuta très jeune dans la diplomatie, n'étant pas attiré par le commerce. Il passa quatre ans à Calais comme secrétaire du consul d'Angleterre, et y prit des leçons d'aquarelle de Louis Francia. A la mort de son père, il fut contraint d'abandonner la carrière et devint représentant en champagne pour une société anglaise d'Épernay. Pendant six ans il étudia la technique de l'huile. En 1833, il accompagna Horace Vernet, qu'il connaissait déjà, à Alger, puis en Espagne et en Italie. A Rome, Wyld trouva rapidement des acquéreurs pour ses toiles, grâce aux nombreuses relations de Vernet, directeur de l'Académie de France. En 1835, Wyld publia un album *Voyage pittoresque dans la Régence d'Alger exécuté en 1833*, illustré de planches lithographiées par lui-même et Émile Lessore. Plus tard, il réalisa un autre album, cette fois de vues de Paris (1839).

Comme Richard Parkes Bonington, son ami intime, Wyld fut avant tout un brillant aquarelliste. Il exposa au Salon de Paris à partir de 1839 et, après 1848, commença à présenter ses œuvres en Angleterre, à la New Watercolour Society, à la Royal Academy et à la British Institution. Il fut élu membre du Royal Institute of Painters in Watercolour en 1879. Ses œuvres furent bientôt vivement appréciées, en particulier par de gros négociants et de riches industriels des Midlands. A l'Exposition Universelle de 1855 à Paris, Wyld fut classé dans l'École française à la demande du comte de Nieuwerkerke, surintendant des Beaux-Arts, et se vit attribuer la Légion d'honneur en reconnaissance de sa participation importante au développement de l'aquarelle en France.

Le Port d'Alger, aquarelle, signée et datée 1833, 45,6 × 63,5 cm. Anc. Mathaf Gallery, Londres.

Félix ZIEM

Beaune 1821-Paris 1911
École française

*Campement, huile sur toile, signée,
89 × 116 cm. Anc. Galerie du Léthé, Paris.*

*L*e nom de Félix Ziem est indissociable de ses deux sources d'inspiration : Venise et Constantinople. Énormément admiré de son vivant, il fut ensuite, pendant des années, sévèrement jugé, en grande partie en raison de la vulgarité de certaines œuvres dans une importante production. Ce n'est que récemment que ses recherches presque abstraites de couleur pure, et ses tableaux plus personnels, sortis de la masse de la production commerciale, ont été appréciés à leur juste valeur.

De famille modeste – son père, Polonais d'origine, était tailleur – Ziem gravit rapidement l'échelle sociale. Alors qu'il était contremaître sur un chantier à Marseille, il montra des aquarelles au duc d'Orléans, qui rentrait de l'expédition des Portes de Fer, en Algérie. Les commandes arrivèrent bientôt. En 1843, il alla en Russie avec le prince Grigori Gagarin, lui-même artiste. Au cours du séjour de plusieurs mois qu'il y fit, il donna des leçons aux grandes duchesses à Saint-Pétersbourg.

Il fit plusieurs voyages, en Algérie, Tunisie, Maroc, Égypte et Asie Mineure. Il alla une première fois en Turquie, probablement vers 1848, y retourna en 1856, à Constantinople, poursuivant à Beyrouth et au Caire. Par contre, il fit de fréquents séjours en Italie : « L'Orient, disait-il, c'est aussi Venise. » Il parlait et lisait l'arabe et avait fait construire un atelier à Martigues dans le style oriental.

Bien qu'il ait peint pendant soixante-dix ans, Ziem n'envoya de tableaux – Venise et l'Orient – aux Salons que de 1849 à 1868, et à nouveau après 1888. Peu d'artistes ont connu pareil succès. Il fut couvert d'honneurs. Ses grandes toiles, peintes en atelier et considérées comme les plus typiques de sa production, montraient une Venise et une Constantinople vierges de toute civilisation moderne. Ses thèmes, éternellement repris, la lagune, la Corne d'Or, caïques sur le Bosphore, fantasias, sultanes et harems, étaient de simples prétextes à couleurs outrées, roses, jaunes et bleu azur. C'est dans ses esquisses à l'huile et ses aquarelles qu'il est le plus spontané et personnel. Peintes sur place, elles révèlent son intérêt pour les scènes de la vie courante en Orient, les rues encombrées, les souks, les commerces et les différents types raciaux. Ces esquisses préparatoires deviennent, avec le temps, de moins en moins structurées, jusqu'à ce que tout dessin préliminaire disparaisse, seules des touches, des virgules et des traînées de couleur pure suggèrent le sujet plus qu'elles le définissent. A la différence des peintures achevées, les aquarelles étaient souvent datées, parfois même portant l'heure.

Ziem était volontiers hâbleur, et les articles parus de son vivant contenaient souvent des informations inexactes.

Il y eut de nombreuses copies de ses ouvrages, copies portant sa signature ; de même que les noms de ses imitateurs étaient parfois grattés par des collectionneurs peu scrupuleux, et remplacés par le sien. En 1905, Ziem fit don d'une centaine d'œuvres au musée du Petit Palais, et une grande partie de ce que contenait son atelier à sa mort fut dispersée par sa veuve, en 1912, dans les musées de Beaune, Dijon et Marseille, et au Musée Ziem de Martigues.

Rue animée en Syrie, huile sur panneau, signée, 48,5 × 28,5 cm. Collection particulière.

INDEX

REMERCIEMENTS

De nombreux conservateurs et personnels de musées, commissaires-priseurs, historiens d'art et experts, marchands, collectionneurs, élèves d'universités, ainsi que des artistes et des familles d'artistes nous ont apporté une aide précieuse en nous fournissant informations et photographies. Nous exprimons notre gratitude à Gerald M. Ackerman, Maîtres Ader Tajan, Lucien Arcache, Louise d'Argencourt, Artus et Associés, Albert Benamou, Koudir Benchikou, Petra Bopp, Rodney Brangwyn, Maître Eric Buffetaud, David B. Chalmers, Edmonde Charles-Roux, Michael Conforti (The Minneapolis Institute of Arts, Minneapolis), Maîtres Couturier et de Nicolaÿ, François Daulte, Marie-Christine David, Jean de La Hogue, Fouad Debbas, Marie-Colette Depierre, Dominique Durand, George Encil, The Fine Art Society, Ilene Susan Fort, Galerie Antinéa, Galerie Arlette Gimaray, Galerie Félix Marcilhac, Galerie Intemporel, Galerie Jonas, Galerie du Léthé, Galerie Nataf, Galerie Resche, Maîtres Gros et Delettrez, Philippe Grunchec (Ecole Nationale Supérieure des Beaux-Arts, Paris), Avner Gruszow, William R. Johnston (Walters Art Gallery, Baltimore), Jordan National Museum of Fine Arts à Amman, Marie et Guy Joubert, Caroline Juler, Geneviève Lacambre (Musée d'Orsay, Paris), Amélie Lefébure (Musée Condé, Chantilly), Jean-Claude Lesage, Briony Llewellyn, Rachel Liberman, Brian MacDermot (Mathaf Gallery), Henri Marchal (Musée National des Arts d'Afrique et d'Océanie, Paris), Djillali Mehri, Meissirel Fine Art, Danièle Menu, Dewey F. Mosby (The Colgate University Art Collections, Hamilton, New York), Didier Ottinger, Roberto Perazonne, Véronique Prat, Richard Green Galleries, Dr. Donald Rosenthal (Memorial Art Gallery, University of Rochester, New York), Kurt E. Schon, Ltd., Arlette Serullaz (Musée du Louvre et Musée Delacroix, Paris), Véronique Sisman, Jean-Roger Soubiran, Jean Soustiel, MaryAnne Stevens, D. Dodge Thompson (National Gallery of Art, Washington), James Thompson, Jean Trombert, The Victoria and Albert Museum, Londres, Françoise Zafrani, ainsi que les collectionneurs privés qui ont souhaité conserver l'anonymat.

CREDIT PHOTOS

DR, A.C.R., Lynne Thornton, Mes. Ader Tajan (Paris), Mes. Couturier et Nicolaÿ (Paris), Christie's (New York), Finarte (Milan), The Fine Art Society (Londres), Galerie Antinéa (Paris), Galerie Arlette Gimaray (Paris), Galerie du Léthé (Paris), Gallery Keops (Genève), Mes Gros et Delettrez (Paris), Alain Lesieutre (Paris), Mathaf Gallery (Londres), Meissirel Fine Art (Paris), Sotheby's (Londres, New York, Paris) et Chaline, Paul, Carpentras, p. 120 ; Danvers, Alain, Bordeaux, p. 55 ; Fotostudio Otto, Vienne, p. 141 ; Kleinhempel, Ralph, Hambourg, p. 13 Kopp, Michel, Genève, pp. 73, 156 ; Photo Alix, Bagnères-de Bigorre, p. 121 ; Réunion des Musées Nationaux, Paris, pp. 42, 43, 45, 54, 56, 153.